U0127114

北京市古籍善本集萃

晚笑堂畫傳

(清)上官周 撰繪

首都圖書館編輯

學苑出版社

北京市古籍善本集萃

據清乾隆八年刻本影印

北京市古籍善本集萃

晚笑堂畫傳

（清）上官周 繪

首都圖書館編輯

學苑出版社

北京市古籍善本集萃

據清乾隆八年刻本影印

敘録

晚笑堂畫傳

《晚笑堂畫傳》不分卷，清上官周撰繪，清乾隆八年（公元一七四三年）刊本。卷首有楊於位序及上官周自序，尾有劉杞跋文。半葉十行，行二十二字，左右雙邊，白口，單魚尾，版框高二三・一釐米，寬一五・二釐米。原一函四冊。

此本又稱《晚笑堂竹莊畫傳》，為清前期人物版畫的精品之作。上官周（公元一六六五—一七五〇），原

名世顯，字文佐，號竹莊，福建長汀（今福建長汀）官坊人。一生不仕，耽於繪事。他自幼聰穎，十四歲拜鐘怡為師，好學詩文、書法、篆刻，尤精人物畫，人贊『奇才』、『神童』。《福建通志・職官志》載：汀州知府鄢翼明於康熙三十三年解任，攜上官周東下姑蘇，遍遊閩、贛、浙、皖、冀，邊畫邊賣，贊之『江南民間神筆』。與查慎行、黎士弘友善。善畫山水，煙嵐彌漫，墨暈可觀。查慎行題其《羅浮山圖》有『眼中豈是好奇者？上官山人今虎頭』之句，將其比之東

晉顧愷之，褒美至極。時人贊其人物神情瀟灑，於唐寅、仇英之外，別樹一幟。今有《樵歸圖》、《壽星圖》、《蘇武牧羊圖》等人物畫傳世，《羅浮山圖》、《珠江掛帆圖》、《台閣風聲圖》等山水畫傳世。著有《晚笑堂詩集》。

上官周的人物畫十分有名，清朝宮廷很賞識他的人物畫，曾下旨讓上官周與當時著名的畫家王石谷、王原祁合繪《康熙南巡圖》十二卷（現存故宮博物院）。此畫所繪人物近萬個，個個栩栩如生，神態逼真，反

映了當時的社會風貌和民俗民情，開一代風氣之先。《長汀縣誌》載：『曾靄、王昉、鄭心水、藍元琛、周超、周禧俱雍正、乾隆間人，受業于竹莊先生者，或工人物、花卉，或山水、木石，方之南宮北苑，不讓前人，各成一家。《中國美術辭典》載：『揚州八怪之一黃慎……上官周弟子。』黃慎於康熙四十年學畫于竹莊，後把唐懷素草書筆法入畫，『初視如草稿，寥寥數筆，形模難辯，及離丈餘視之，則精神骨力出。』當時，上官周贊之曰：『吾門有黃生，猶右

軍（晉書對王羲之）之後有魯公（唐書法家顏真卿）也。』黃慎後成為『揚州八怪』之姣姣者。可以說，上官周的畫風影響了一眾畫家，其人物描繪捉寫之惟妙惟肖、意態生動，對後世的同類作品更具深刻影響。魯迅先生十分推崇上官周的人物畫，曾購買《晚笑堂畫傳》寄贈木刻家亞力舍夫。

上官周年近古稀時，在福建長汀以『晚笑堂』為室名，其對面有三楹小樓，詩酒書畫之外，潛心讀史，目的是為歷代名人畫像立傳。乾隆八年，上官周七十

九歲，攜孫上官惠赴廣州刊行《晚笑堂竹莊畫傳》。此本從漢高祖至明驍騎舍人郭德成等自漢至明『明君哲後，將相名臣，以迄忠孝節烈、文人學士，山林高隱、閨媛仙釋之流』凡百二十人，一一畫傳摹寫，所繪人物『凡有契於心者，輒繪之於冊，或形似，或存之意想而挹之豐神』，用筆灑脫，神態各異，與《凌煙閣功臣圖》、《無雙譜》同為清前期人物版畫巨制。這部畫傳中的傳是他根據歷史資料所創作，畫則『蓋從其三不朽中想像而出之爾』（劉杞跋），對今天研究古代

人物有一定參考價值。而其人物描繪技法尤為後人稱道，日本《支那繪畫史》專文論述了《晚笑堂畫傳》的藝術價值與影響：『上官周的《晚笑堂畫傳》出現，在人物畫法上開拓一新生面。』並將《晚笑堂畫傳》影印與書一同發行。清嘉慶間楊灝在《臨江匯考》中稱：『上官周畫品能自出新意，修然蹊徑之外，人比之倪雲林、沈石田。』

上官周一生不為名利，不附庸權貴，終身為布衣，畫品高潔，極富創造性，其人物畫下啟清季及近現代

人物畫風。此本一圖一文，洋洋大觀，廣為後世流傳。今世多家善本收藏機構都有收藏。此乾隆八年刊本為白紙，有裝訂成三冊者，有裝訂成四冊者，跋文上的兩方刊刻印章甚清晰。另有後世印本為竹紙，大都裝訂成兩冊，跋文上的兩方刊刻印章不甚清晰。今依乾隆原刊本影印流布，以饗讀者。

（馬文大）

晚笑堂竹莊畫傳

序

竹莊先生閩之有道士也生平喜讀書能詩世罕知之者獨以丹青擅名于時昔人謂王右軍以善書掩其生平大節使右軍內後以思應悔其藝之工也人以誚竹莊竹莊曰不然荀子云藝之至者不兩能聖人思有擇于射御況其下乎苟傳其一而可矣又何多爲於是顓其力一其好思益工其藝以永其傳矻矻然不知老之將至則又有誚之者曰子之畫誠善矣生平所作誠工且多矣然欲藉是以傳則末矣莊生云聖人與其不傳者死矣其所存者糟粕也況人代之消磨風雨雪霜水火之所侵蝕其僅存者又無

不敝之理普門開元畫壁今猶存乎立本職貢之圖摩詰輞川之冊果安在乎言未畢竹莊憮然以思悄然以悲也予過矣予耗精而敝神亦已久矣既復自奮曰古人不死以糟粕之存也子夏序詩安國序書詩書存而序以不毀其所托者大也予將托不朽者以傳于是積生平誦讀之所得自漢魏晉唐宋元明以來凡明君哲后將相名臣以迄忠孝節烈文人學士山林高隱閨媛仙釋之流凡有契於心輒繪之于册或考求古本而得其形似或存之意想而挹其丰神歷年既久積成卷袠若干間舉以示余余受而覽之宛若聚千百載英雄豪傑于一堂晤對之下鬚眉

首都圖書館藏

歆活為之肅然起敬睪然高望曰甚哉先生之得所托也歐陽子曰讀其書尚想乎其人況得拜其像識其面目不忍見其壞也是圖也出吾知必有愛且拜而不忍見其壞者其視山水禽魚僅供耳目之玩好其傳之永否豈可同日語哉今先生年七十九重遊粵嶠訪湣名手乃擇其尤者百輩鋟之于板以示後世因丐余一言序之余曰先生之畫將托古人以傳而余之文亦冀托先生之畫以傳也故樂得而為之序瑞金同學弟楊于位

夫頌古人詩讀古人書想其人而不得見誠千古之恨事也苟頌古人詩讀古人書披其圖而如見其人豈非千古之快事乎雖然難言之矣人非圖則無由見圖非畫則不能傳安得天下頌詩讀書者之皆能畫善畫者之皆能頌詩讀書也余少時工寫人物常摹仿有明一代開國勲臣凡四十四人歲弆篋衍者久之無何歲月侵尋耄期將及星家推算咸以余當就木由是息影邨園杜門却掃因得瀏覽史籍沿自周秦以下遇一古人有契于心輙不禁欣慕之想像之心摹而手追之積日累月脫稾者又七十六人合之得百二十人爲夫此百二十人者雖不足以盡古人之數而古人之實獲我心者亦奚翅百二十人而已殆不過存什一於千伯以慰我景仰之私耳統而觀之勝國勛戚而外自兩漢以逮前明其中王侯將相忠孝節義詩人文人書家畫家黄冠緇衣之徒無不犁然具舉而巾幗亦得附見于其間蓋不啻萃古人于一堂而親聆其謦咳也或有問于余曰子之意則誠善矣子之圖毋乃師心而自用乎余應之曰唯唯否否子不聞夫見堯于羹見舜于墻者乎夫堯眉舜目後人豈嘗親炙之哉要其精神所注結而成象遂有曠百世而相遇者余之爲此圖亦若是焉則已矣日者天復假吾以年攜卷入粤小孫恵不欲沒老人之微勤請付剞劂以詔来兹余出所藏而授之雖不獲金鑄子期絲繡平原然古人有言其人在焉呼之或出披

斯圖也亦可爲後賢頌詩讀書者之一助云乾隆癸亥暮
春清明後一日閩汀上官周自題時年七十有九

漢高祖

漢書高帝紀贊曰漢承堯運德祚已盛斷蛇著符旗幟尚赤協於火德自然之應得天統矣

高祖沛豐邑中陽里人姓劉氏名邦字季隆準而龍顏美鬚髯左股有七十二黑子誅暴逆有天下都關中嘗出師還歸過沛留置酒沛宮悉召故人父老子弟縱酒發沛中兒得百二十人教之歌酒酣高祖擊筑自為歌詩曰大風起兮雲飛揚威加海內兮歸故鄉安得猛士兮守四方令兒皆和習之高祖乃起舞慷慨傷懷泣數行下因以沛為已湯沐邑復其民世世無有所與後又徇沛父兄之請并復豐比沛

高祖沛豐邑中陽里人姓劉氏名邦字季隆準而龍顏美鬚髯左股有七十二黑子誅暴逆有天下都關中嘗出師還歸過沛置酒沛宮悉召故人父老子弟縱酒發沛中兒得百二十人教之歌酒酣高祖擊筑自為歌詞曰大風起兮雲飛揚威加海內兮歸故鄉安得猛士兮守四方令兒皆和習之高祖乃起舞慷慨傷懷泣數行下因以沛為己湯沐邑復其民世世無有所與後又道沛父兄請并復豐比沛

漢高祖

漢書高帝紀贊曰漢承堯運德祚已盛斷蛇著符旗幟尚赤協於火德自然之應得

西楚霸王

太史公曰吾聞之周生曰舜目蓋重瞳子又聞項羽亦重瞳子羽豈其苗裔耶何興之暴也夫秦失其政陳涉首難豪傑蠭起相與並爭不可勝數然羽非有尺寸乘勢起隴畝之中三年遂將五諸侯滅秦分裂天下而封王侯政由羽出號為霸王位雖不終近古以來未嘗有也

王項氏諱籍字羽下相人也項氏世世為楚將封於項故姓項氏王少時學書不成去學劍又不成其季父梁怒之王曰書足以記姓名而已劍一人敵不足學學萬人敵於是梁乃教之兵法王大喜略知其意又不肯竟學後梁殺人與王避仇吳下王長八尺餘力能扛鼎才氣過人吳中子弟皆憚之陳涉起兵時王年二十四亦從梁舉事梁敗死王復破秦軍遂屠咸陽殺子嬰自立為西楚霸王後與漢高祖戰敗刎于烏江時年三十有一

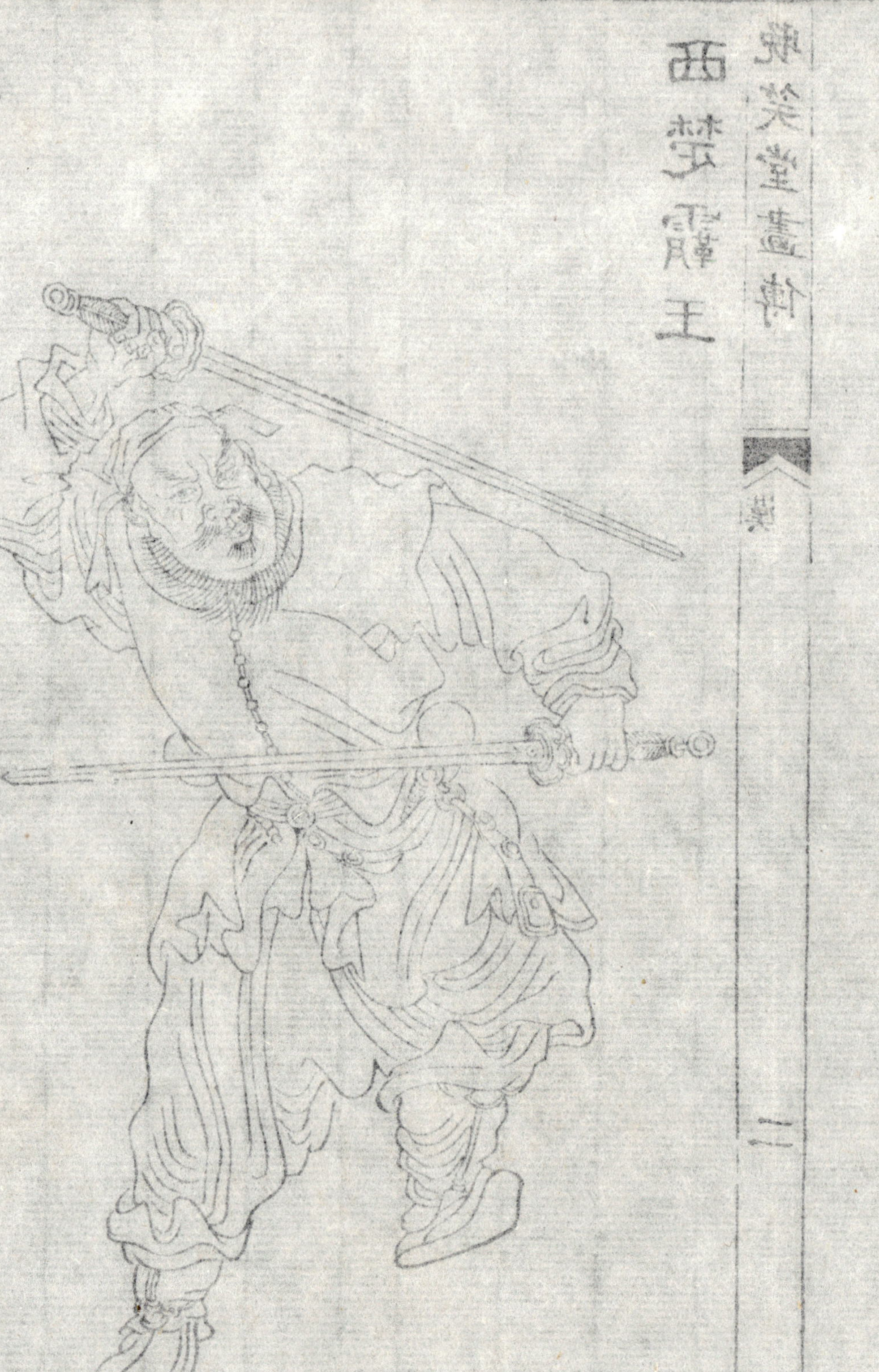

虞姬

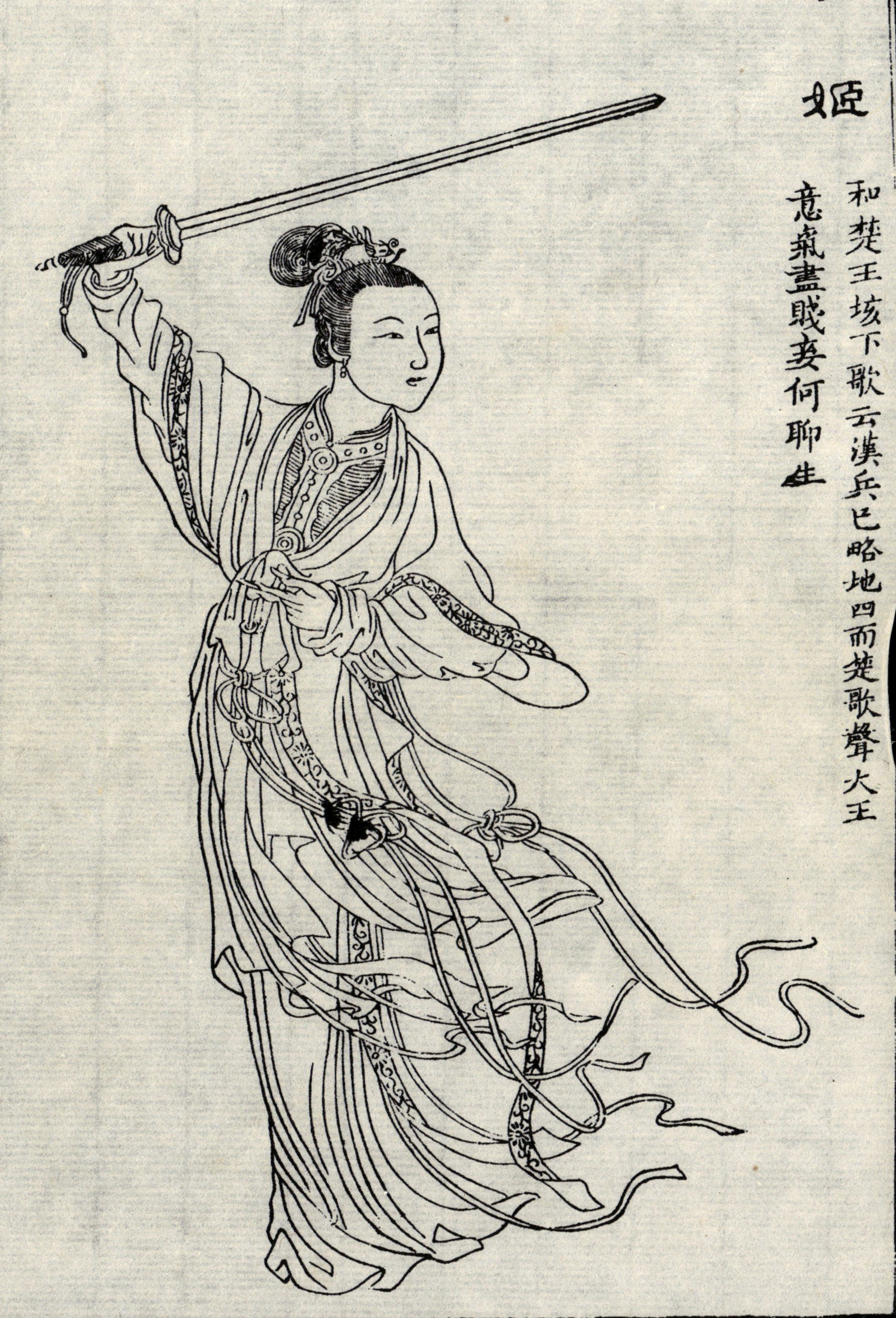

姬西楚霸王項羽美人也羽被圍垓下夜聞漢軍皆楚歌驚曰漢已得楚乎何楚人之多也起飲帳中乃慷慨悲歌自為詩曰力拔山兮氣盖世時不利兮騅不逝騅不逝兮可奈何虞兮虞兮奈若何歌數闋姬和之和戾泣下遂自刎姬墓在定遠縣俗呼嗟虞墓相傳靈壁葬其身定遠葬其首

太史公曰學者多言無鬼神然言有物至如留侯所見老父予書亦可怪矣高祖離困者數矣而留侯常有功力焉豈可謂非天乎上曰夫運籌策帷幄之中決勝千里外吾不如子房余以為其人計魁梧奇偉至見其圖狀貌如婦人好女蓋孔子曰以貌取人失之子羽留侯亦云

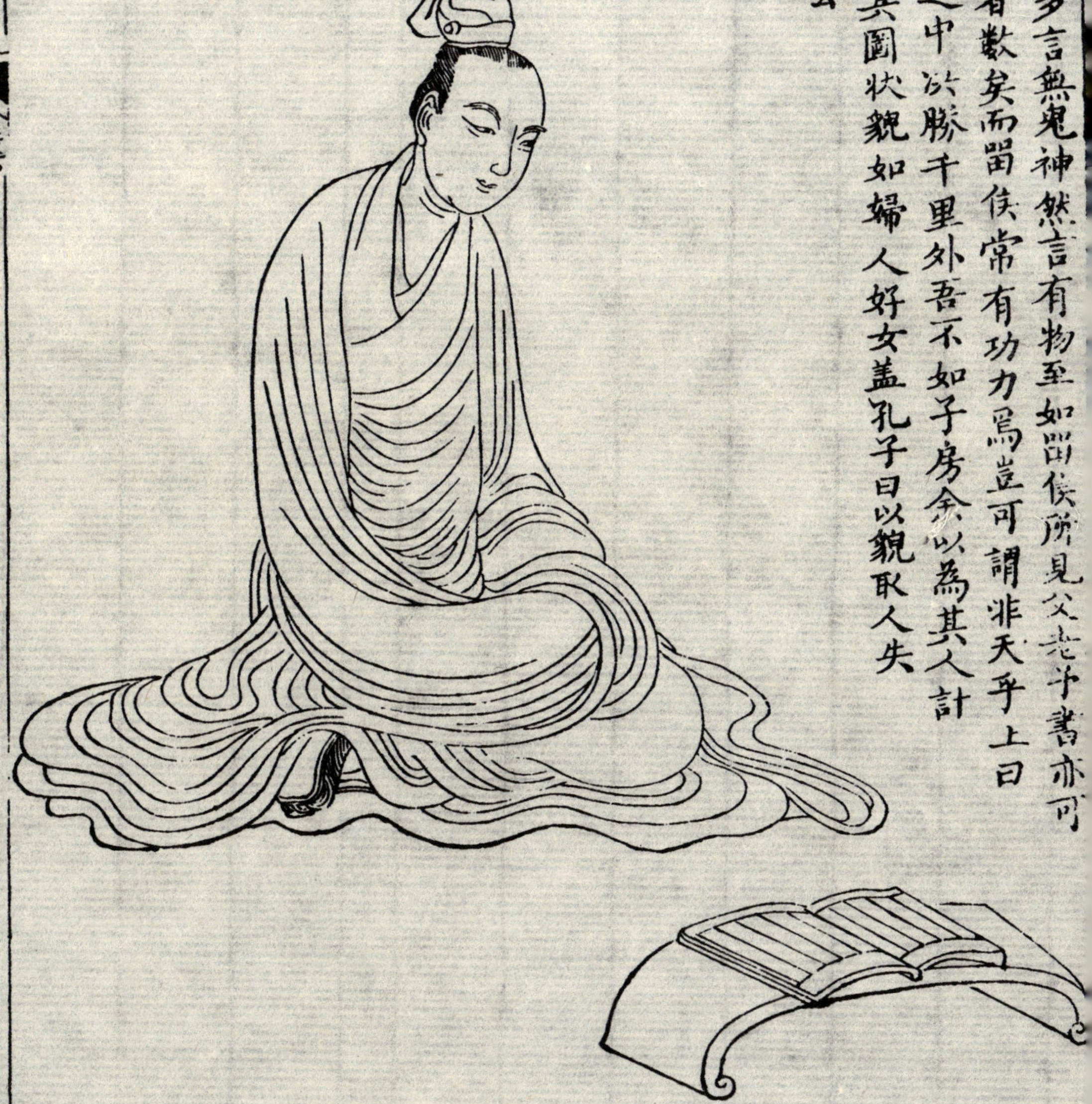

張文成

侯諱良字子房其先韓人也祖父皆相韓秦滅韓悉以家財求客報讎得力士擊始皇誤中副車始皇索賊急亡匿下邳步游圯上有一老父墮履命侯取侯取而長跪履之老父謂孺子可教約後五日相會如是者三授書一編乃太公兵法侯習誦讀之陳涉起兵侯亦聚少年百餘人未幾屬沛公數以兵法陳說沛公言無不從沛公為漢帝封功臣日語侯自擇有三萬戶侯不敢當惟願封留乃封之留性多病嘗學辟穀欲道引輕身後呂后強之食乃食卒謚文成始侯遇老父時老父謂十三年孺子見我濟北穀城山下黃石即我後果見因取而葆祠之侯死并葬黃石冢每上冢伏臘祠黃石

淮陰侯

宋諫議錢公昆題侯廟云築壇拜日恩雖厚躡足封時慮已深
隆準早知同烏喙將軍應起五湖心

侯韓氏諱信淮陰人也項梁渡淮嘗杖劍從之居戲下無所知名項梁敗又屬項羽羽以為郎中數以策干羽羽不用漢王入蜀時遂亡楚歸漢未得知名為連敖坐法當罪為滕公所釋與語大說之言於王王以為治粟都尉未之奇也數與蕭何語何奇之至南鄭何聞信亡自追之薦於王王設壇拜為大將聽其計部署諸將所擊又以為左丞相下魏破代勝趙定燕再拜為相國平齊立為齊王從漢王滅楚後徙封楚旋械繫之赦為淮陰侯呂后殺之於長樂鐘室

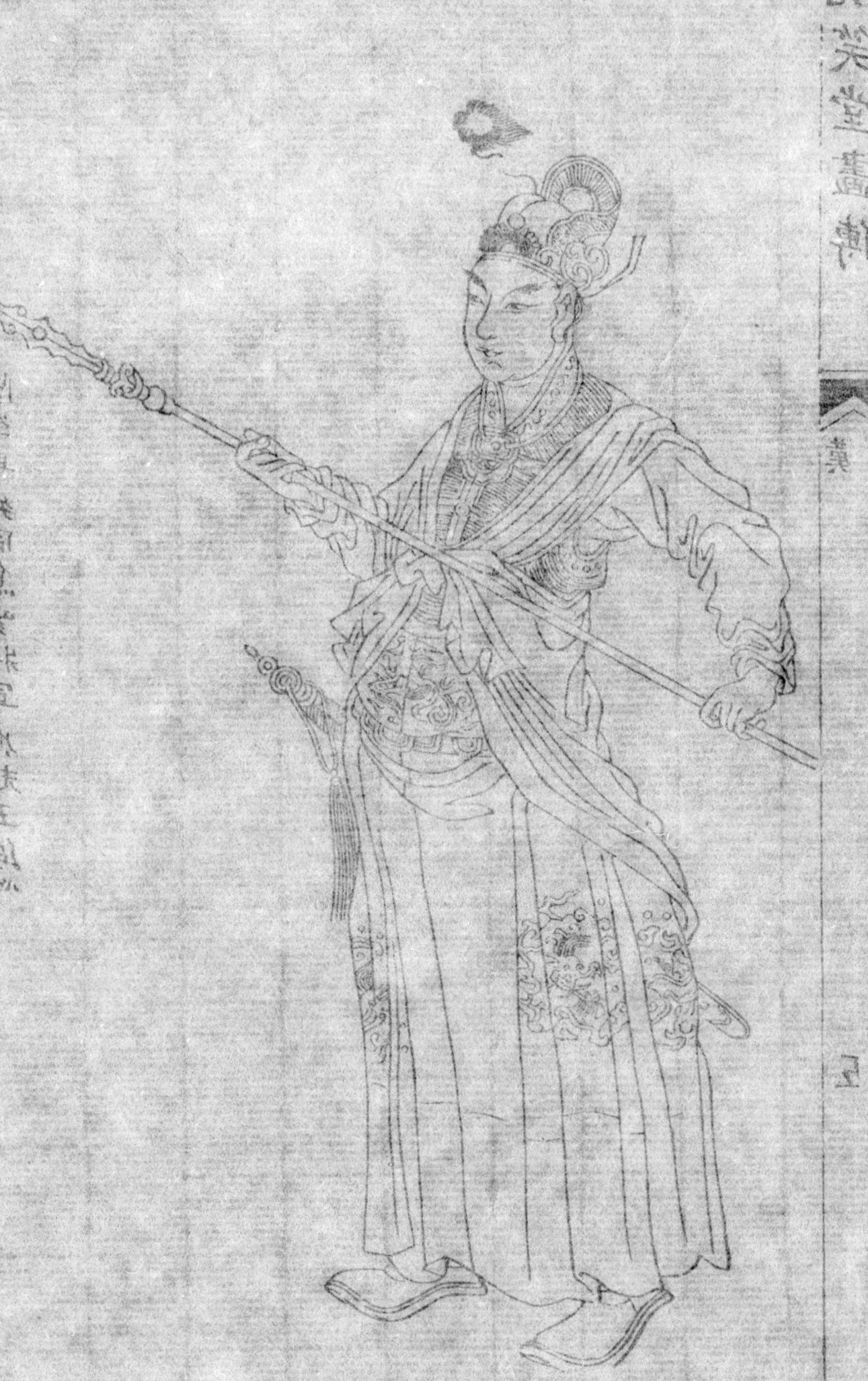

齊太倉女

劉向列女傳頌曰緹縈訟父亦孔有識推誠上書文雅甚備小女之言乃感聖意終除肉刑以免父事

齊太倉女者漢太倉令淳于意之少女也名緹縈意無男有女五人文帝時意有罪當刑是時肉刑尚在詔獄繫長安當行會逮意罵其女曰生女不生男緩急非有益緹縈自悲泣而隨其父至長安上書曰妾父為吏齊中皆稱廉平今坐法當刑妾傷夫死者不可復生刑者不可復屬雖欲改過自新其道無由也妾願入身為官婢以贖父罪使得自新書奏天子憐悲其意乃下詔除肉刑意遂得免爲

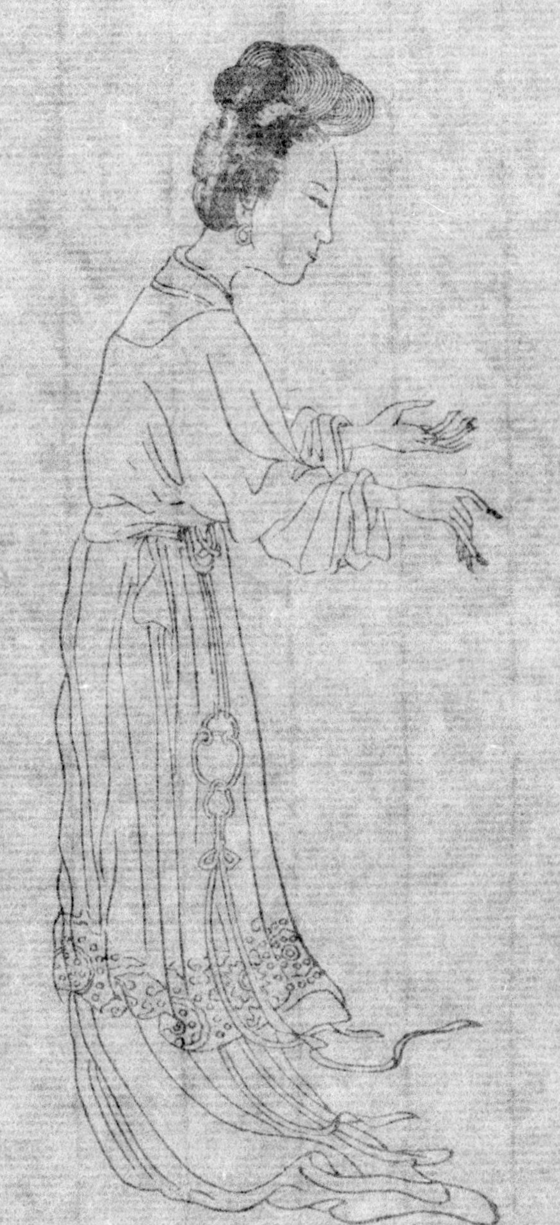

瞻望往代爰想遐踪邈邈先生其道猶龍染迹朝隱和而不同棲遲下位聊以從容此晉夏侯孝若所作先生畫贊語也其序中言先生拔乎其萃游方之外談者以先生嘘吸冲和吐故納新蟬蛻龍變棄俗登仙神交造化靈爲星辰以爲奇恠惚怳不可備論先是班孟堅漢書謂劉向所錄朔書具是世所傳他事皆非又憾後世好事者取奇言恠語附著之朔故錄其辭語以明傳所不記皆非其實他書或謂爲太白星或謂爲歲星茲亦不叙述焉

東方曼倩

曼倩名朔平原厭次人武帝即位朔初來上書文辭不遜高自稱譽帝偉之令待詔公車久之使待詔金馬門上嘗使諸數家射覆惟朔獨中賜帛有郭舍人欲窮之不可得上以爲常侍郎遂得愛幸又拜爲大中大夫給事中嘗醉入殿中小遺殿上劾不敬有詔免爲庶人待詔宦者署後復爲中郎朔雖詼笑然時觀察顏色直言切諫上常用之自公卿在位朔皆敖弄無所爲屈嘗上書陳農戰彊國之事因自訟獨不得大官欲求試用終不見用因著論設客難已用位卑以自慰諭云

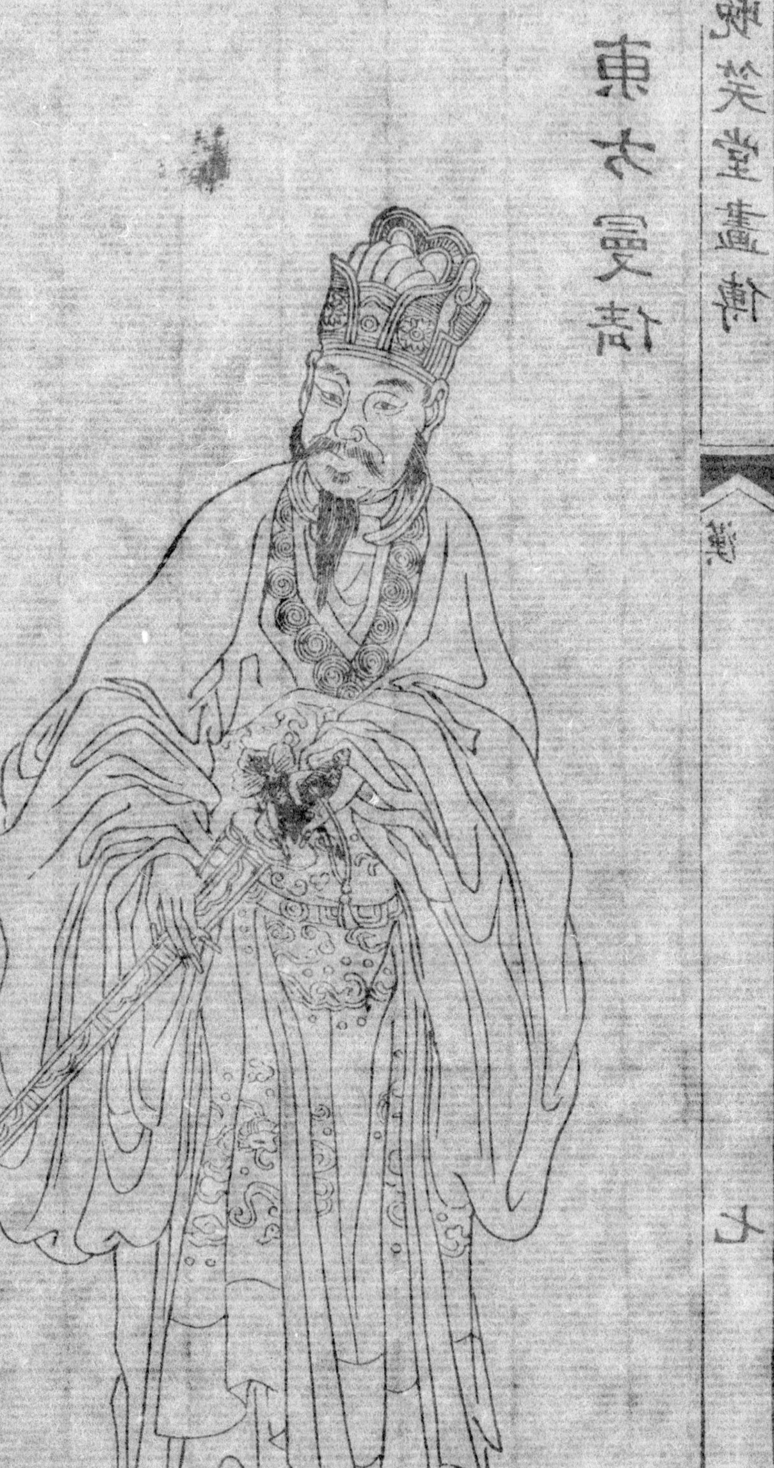

司馬遷

劉向楊雄博極群書皆稱太史公有良史之才

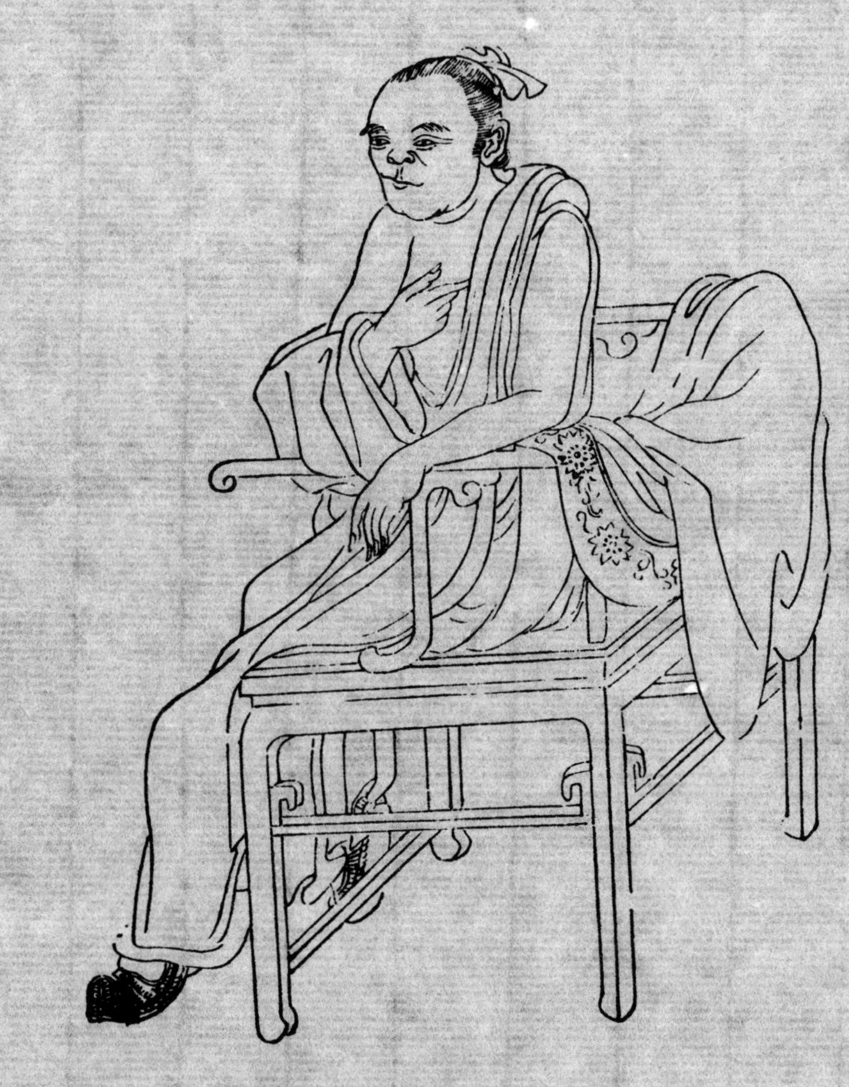

司馬遷字子長龍門人父談為太史官嘗謂遷曰漢興海內一統明主聖君忠臣義士予為太史而不論載廢天下之文予甚懼焉爾其念哉談卒三歲而遷為太史令續父談書創為義例起黃帝迄漢武獲麟之歲撰成十表本紀十二書八世家三十列傳七十凡一百三十篇草創未就會遭李陵之禍下遷腐刑既死後其書始出至宣帝時外甥楊惲祖述其意遂宣布焉漢褚少孫補之宋裴駰解之

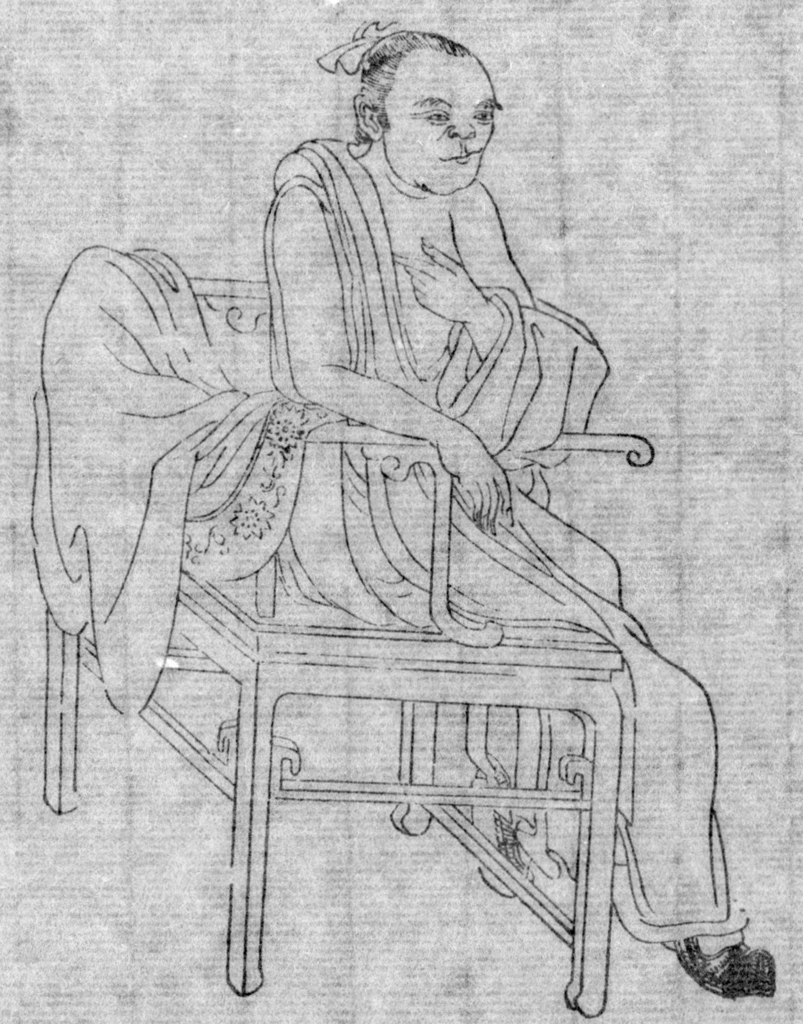

蘇子卿

前漢書賛云孔子稱志士仁人有殺身以成仁無求生以害仁使於四方不辱君命蘇武有之矣

公諱武子卿其字也杜陵人官移中廐監武帝使以中郎將持節與張勝常惠等出使匈奴單于欲降公使衛律召公受辭公引佩刀自刺律驚自抱持之馳召醫鑿地為坎置熅火覆公其上蹈其背以出血公氣絶半日復息單于壯其節遣人候問當公愈復使衛律說公降公不從單于乃幽置大窖中絶不飲食天雨雪公卧齧雪與旃毛幷咽之又徙公北海上使牧羝羝乳乃得歸廩食不至掘野鼠去草寔而食之杖漢節牧羊卧起操持節旄盡落積五六年後稍有給賜終復窮厄李陵復說公降公拒之聞武帝崩南向號哭嘔血旦夕臨數月昭帝即位使人再求公常惠教言天子射上林中得鴈足有係帛書言武等在某澤中以讓單于單于乃歸公及常惠等公留匈奴凡十八載始以彊壯出及還須髮盡白年八十餘圖形麒麟閣

班倢伃

詩品曰婕妤詩其源出於李陵團扇短章辭旨清捷怨深文綺得匹婦之致侏儒一節可以知其工矣

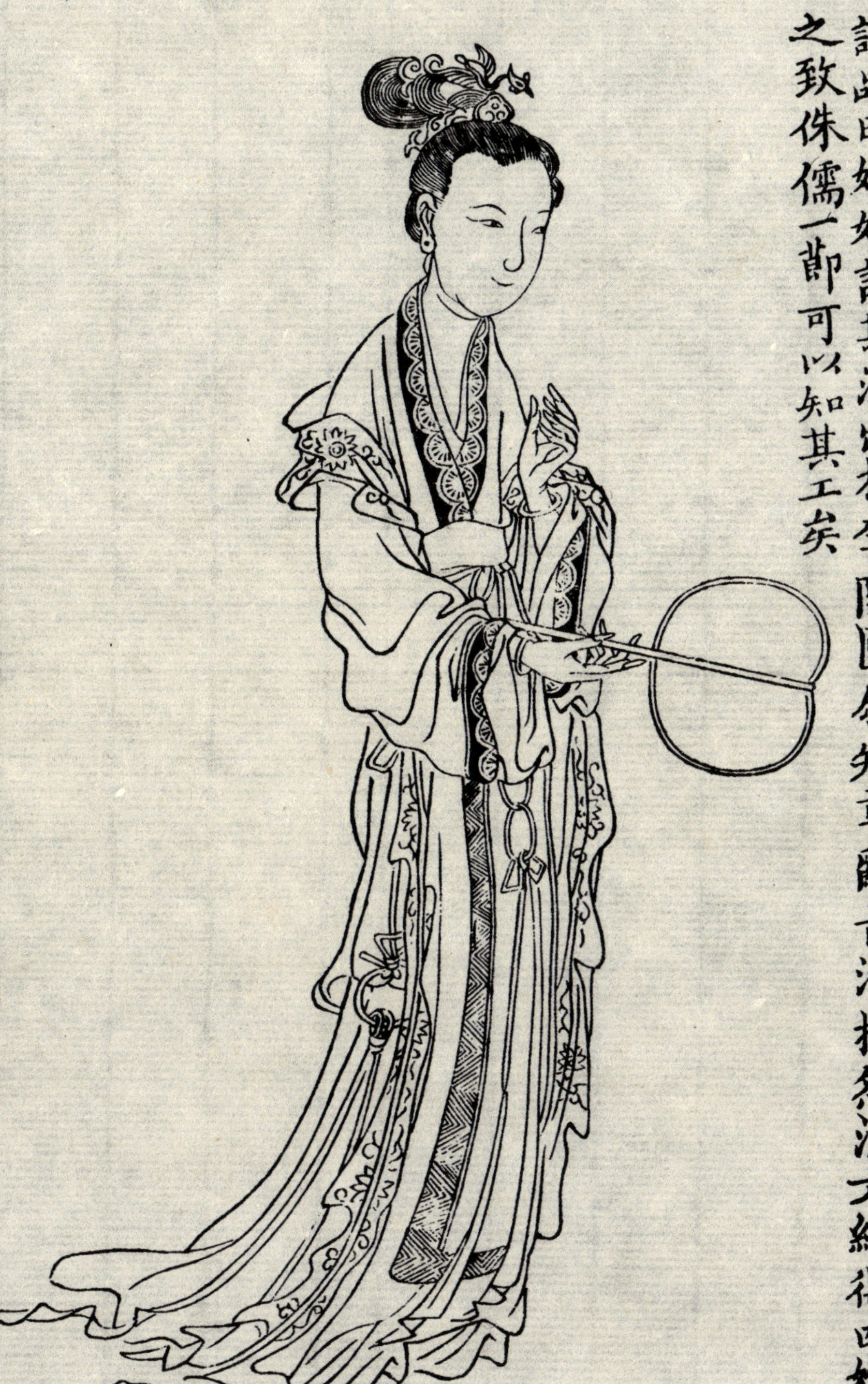

婕妤左曹越騎校尉況之女少有才學成帝選入宮寵甚帝遊後庭命婕妤同輦婕妤曰觀古圖畫賢聖之君皆有名臣在側三代末主廼有嬖女今欲同輦得無近似之乎上善其言而止太后聞喜曰古有樊姬今有班氏自鴻嘉後隆於內寵後趙飛燕譖其呪詛許皇后坐廢考問婕妤〻〻曰妾聞死生有命富貴在天修正尚未蒙福為邪欲以何望使鬼神有知不受不臣之愬如其無知愬之何益故不為也上嘉其對憐憫之賜黃金百斤婕妤求共養太后長信宮上許焉

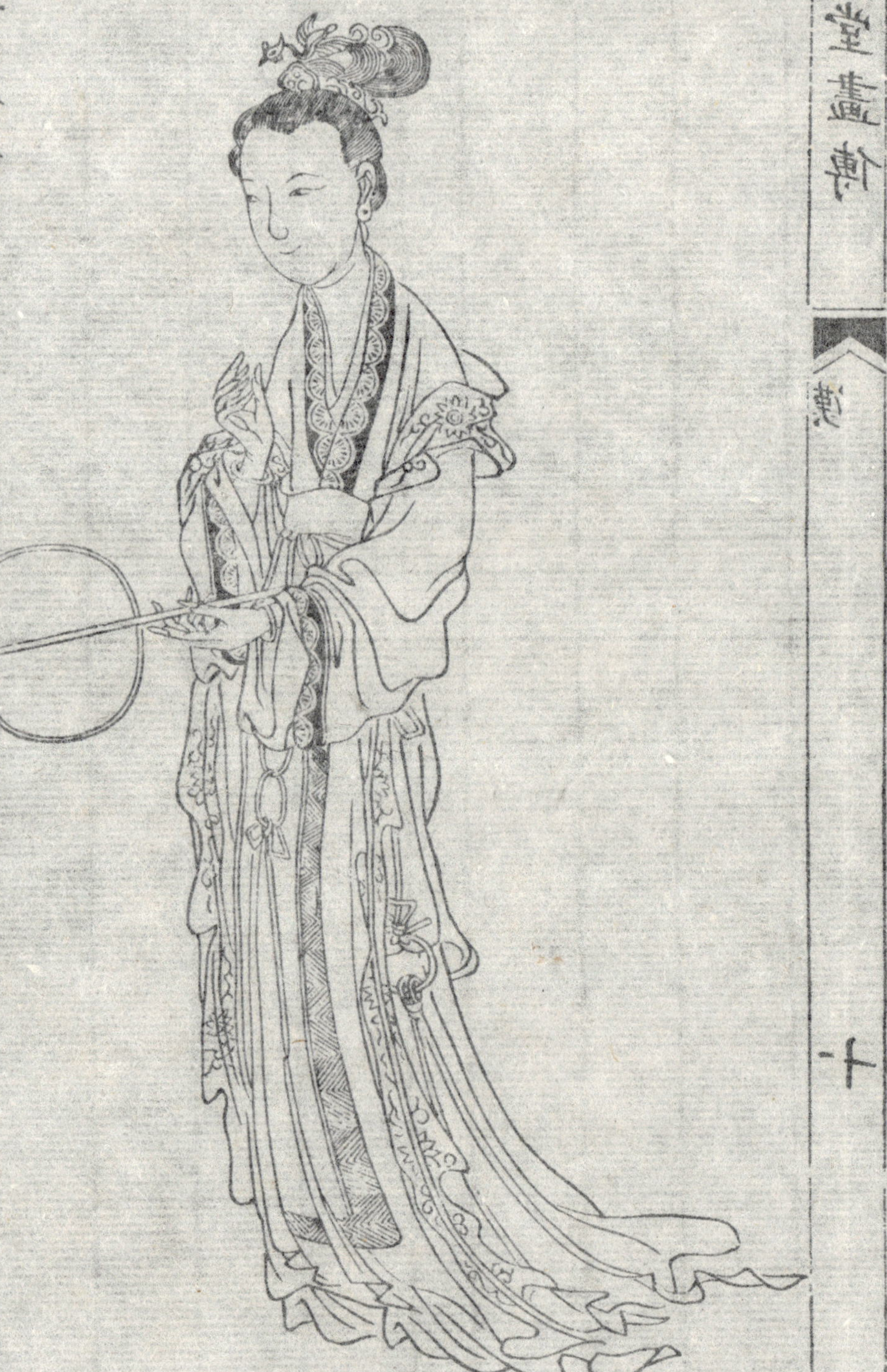

嚴子陵

雲山蒼蒼江水泱泱先生之風山高水長

嚴光字子陵餘姚人少有高名與世祖光武皇帝同遊學及帝即位命人物色訪之齊國上言有一男子披羊裘釣澤藪中帝疑是光遣使聘之三反而後至車駕即日幸其館光卧不起帝撫光腹曰咄咄子陵何不相助為理耶曰士固有志何相逼乎因辭歸釣於富春

孟堅漢書二十餘年始成當世甚重其書學者莫不諷誦范蔚宗謂其文贍而事詳又稱其序事不激詭不抑抗贍而不穢詳而有體便讀之者亹亹而不厭云

班固

班固字孟堅扶風人博貫載籍九流百家之書無不窮究以父彪所續全史未詳乃潛精研思欲就其業有告固私作國史者固繫獄弟超詣闕上言固所著述意而郡亦上其書顯宗甚奇之除蘭臺令史使終成其書固自為郎後頗見親近乃上兩都賦及肅宗雅好文章固愈得幸然自以二世才術位不過郎作賓戲以自通焉永元初竇憲北擊匈奴以固為中護軍與參議及憲敗固以竇氏賓客收捕死獄中

班固字孟堅扶風人博貫載籍九流百家之書無不窮究以父彪所續前史未詳乃潛精研思欲就其業有告固私作國史者固繫獄弟超詣闕上言固所著述意而郡亦上其書顯宗甚奇之除蘭臺令史使終成其書固自為郎後稍見親近乃上兩都賦及肅宗雅好文章固愈得幸自以二世才術位不過郎作賓戲以自通焉永元初竇憲出擊匈奴以固為中護軍與參議及憲敗固以竇氏賓客收捕死獄中

班固

孟堅漢書二十餘年始成當世甚重其書學者莫不諷誦范曄謂其文贍而事詳人稱其序事不激詭不抑抗贍而不穢詳而有體使讀之者亹亹而不厭云

姜詩妻

詩妻以姑嗜魚膾又不能獨食與夫嘗力作供鱠呼鄰母共之舍側忽有涌泉味如江水每旦輒出雙鯉魚常以供二母之膳人以為孝感

廣漢姜詩妻者同郡龐盛之女也詩事母至孝妻奉順尤篤母好飲江水水去舍六七里妻嘗泝流而汲後值風不時得還母渴詩責而遣之妻乃寄止鄰舍晝夜紡績市珍饈使鄰母以意自遺其姑如是者久之姑怪問鄰母鄰母具對姑感慙呼還恩養愈謹其子後因遠汲溺死妻恐姑哀傷不敢言而託以行學不在

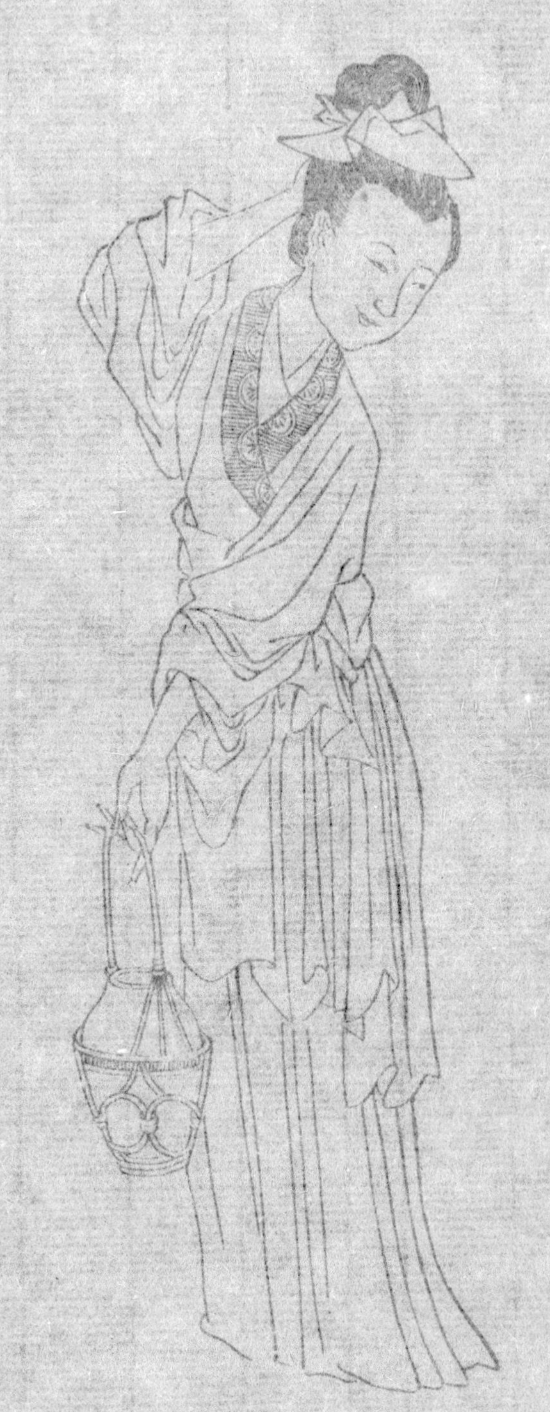

龐德公

襄陽記曰諸葛孔明每至德公家獨拜牀下德公初不令止司馬德操嘗詣德公值其渡沔上先人墓德操徑入其室呼德公妻子使速作黍徐元直向云當來就我與德公談其妻子皆羅拜於堂下奔走共設須臾德公還直入相就不知何者是客也德操年小德公十歲兄事之呼作龐公

後漢書云龐公者南郡襄陽人也居峴山之南未嘗入城府夫妻相敬如賓荆州刺史劉表數延請不能屈乃就候之曰夫保全一身孰保全天下乎龐公笑曰鴻鵠巢於高林之上暮而得所棲黿鼉穴於深淵之下夕而得所宿夫趣舍行止亦人之巢穴也且各得其棲宿而已天下非所保也因釋耕於壟上而妻子耘於前表指而問曰先生若居畎畝而不肯官祿後世何以遺子孫乎龐公曰世人皆遺之以危今獨遺之以安雖所遺不同未為無所遺也表歎息而去後遂攜其妻子登鹿門山因採藥不及

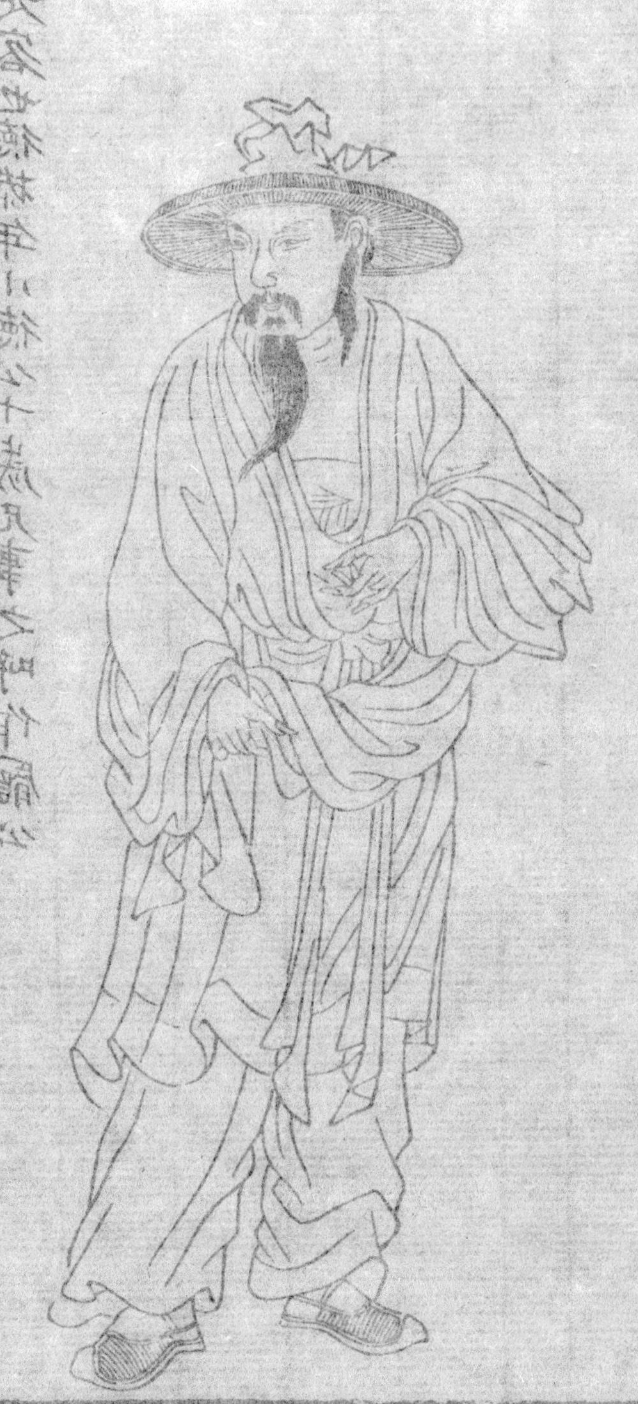

曹大家

大家作女誡七篇有助內訓馬融善之令妻女習焉大家女妹曹豐生亦有才惠為書以難之辭有可觀大家所著賦頌銘誄問注哀辭書論上疏遺令凡十六篇子婦丁氏為撰集之又作大家讚焉

大家漢扶風曹世叔妻同郡班彪女也名昭字惠班一名姬博學高才世叔早卒有節行法度兄固著漢書其八表及天文志未及竟而卒和帝詔昭就東觀藏書閣踵而成之帝數召入宮令皇后諸貴人師事焉號曰大家每有貢獻異物輒詔大家作賦頌及鄧太后臨朝與聞政事以出入之勤特封子成關內侯官至齊相時漢書始出多未能通者同郡馬融伏于閣下從昭受讀後又詔融兄續繼昭成之年七十餘卒皇太后素服舉哀使者監護喪事

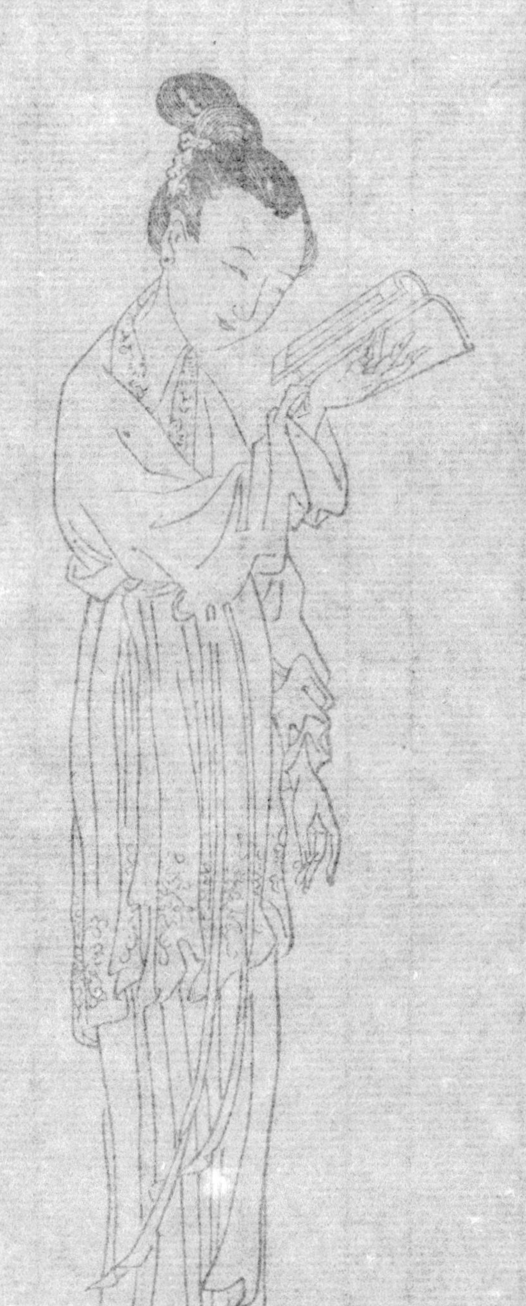

諸葛忠武

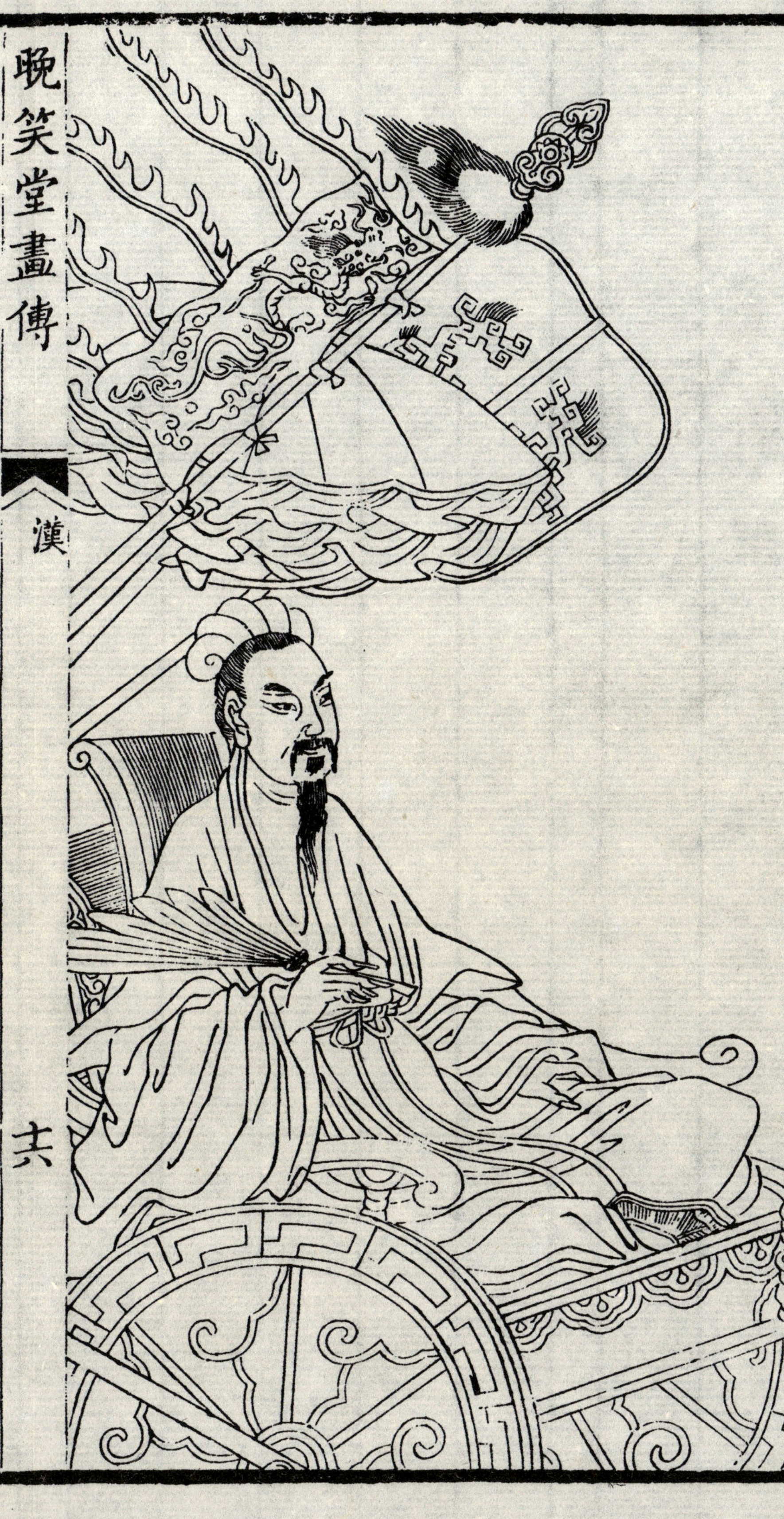

袁卉伯三國名臣序贊中云堂堂孔明基宇宏邈器同生民獨稟先覺標牓風流遠明管樂初九龍盤雅志彌確百六道喪于戈迭用苟非命世孰掃雰雺宗子思寧薄言解控釋褐中林鬱為時棟

亮字孔明瑯琊陽都人父珪字君貢泰山郡丞亮早孤躬耕隴畝好為梁父吟身長八尺每自比管仲樂毅時莫之許也唯博陵崔州平潁川徐元直謂為信然先主屯新野徐庶見先主曰諸葛孔明卧龍也將軍豈願見之乎先主曰君與俱來庶曰人可就見不可屈致也先主遂詣亮謂關羽張飛曰孤之有孔明猶魚之有水也累遷丞相益州牧率衆北征卒於渭南

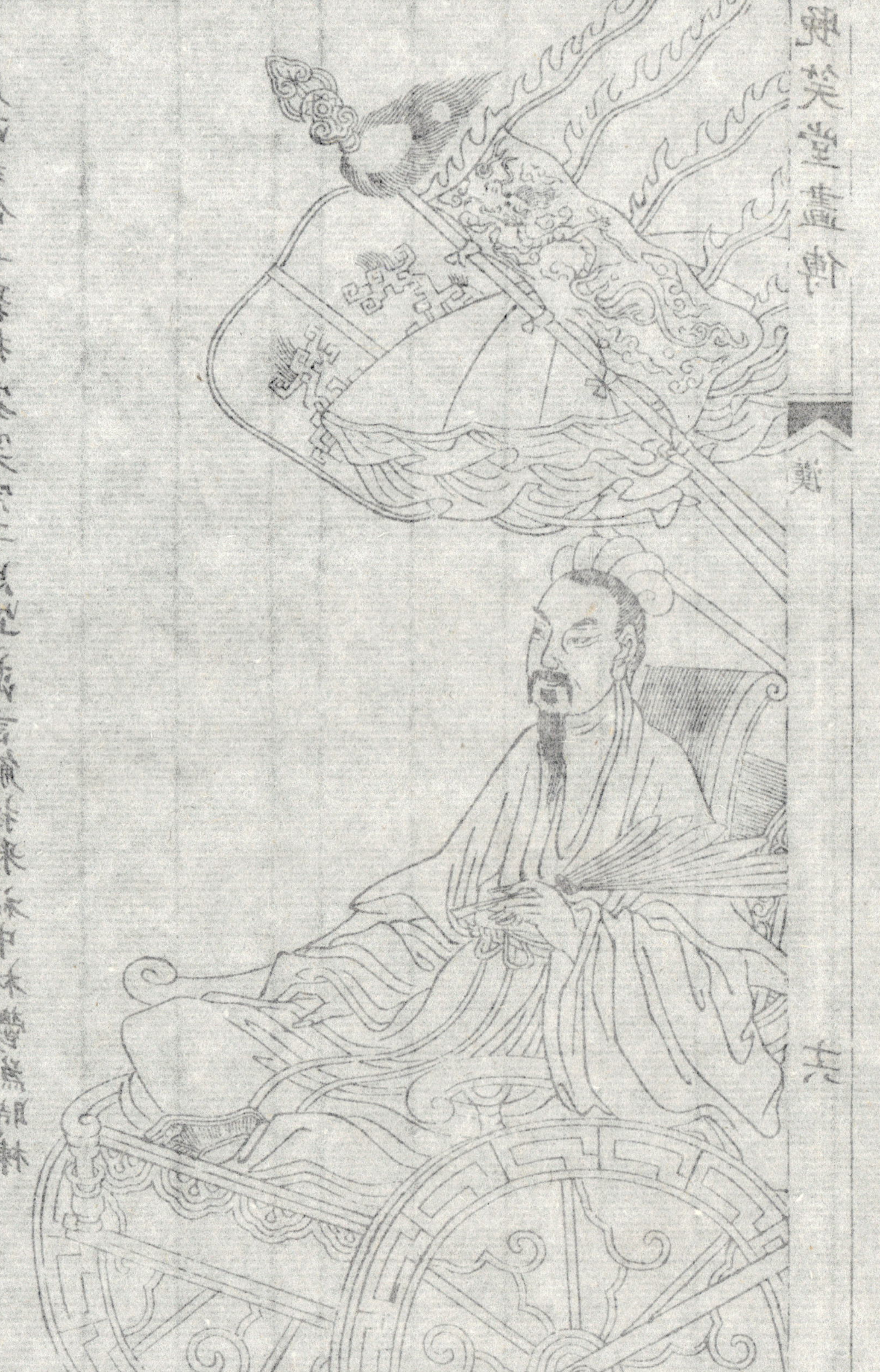

謝文靖

字安石陽夏人甫四歲桓彝見而奇之曰此兒風神秀徹當不減王東海及長有時名朝命敦逼皆不就人為語曰安石不起當如蒼生何年四十餘應命為司馬桓溫重之尋除吳興太守去後為人所思慕之徵拜侍中遷吏部尚書符堅入寇京師京師震恐安方對客圍棋適謝玄等破堅驛書至看畢了無喜色奕棋如故客問之徐答云小兒輩遂已破賊既罷客去還內過戶限心喜甚不覺屐齒折其矯情鎮物如此嘗疑劉牢之不可獨任又知王裕之不宜專城後皆如其言識者服其知人安雖受朝寄然東山之志始末不渝

安薨謂所親曰桓溫在時吾嘗懼不全忽夢乘溫輿行十六里見一白鷄而止乘溫輿者代其位也十六里止今十六年矣白鷄主酉今太歲在酉吾病殆不起乎乃上疏遜位尋平年六十六贈太傅謚文靖

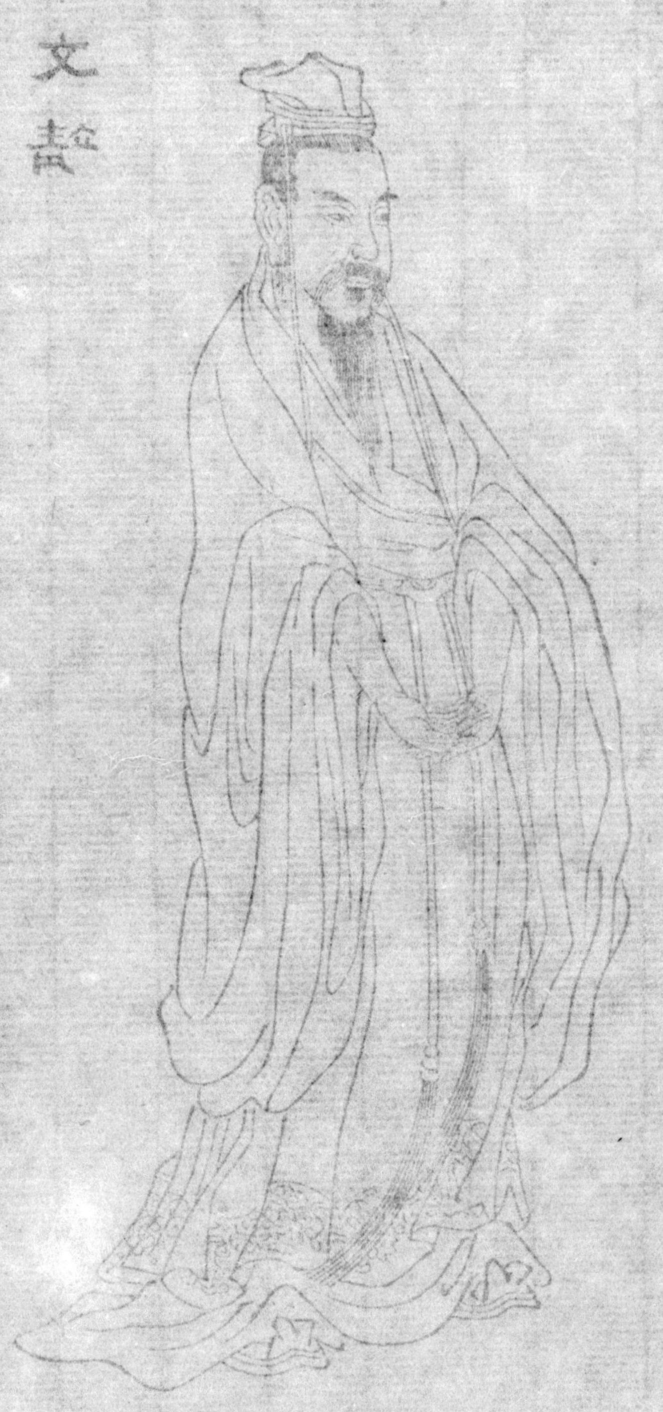

王右軍

山陰道士養鵞羲之亦往觀之道士云為寫道德經當舉群鵞相贈羲之欣然寫畢籠鵞而去其任率如此

王羲之字逸少為右將軍會稽內史以骨鯁稱尤善書為古今之冠稱其筆勢飄若浮雲矯若驚龍雅好服食養性不樂京師初渡浙江有終焉之志會稽多佳山水名士多咸居之常偕同好孫綽許詢支遁等宴集山陰之蘭亭自為序以識其志去官後與道士許邁為採藥游恒不遠千里探名山泛滄海無所不劇每嘆曰吾當以樂死

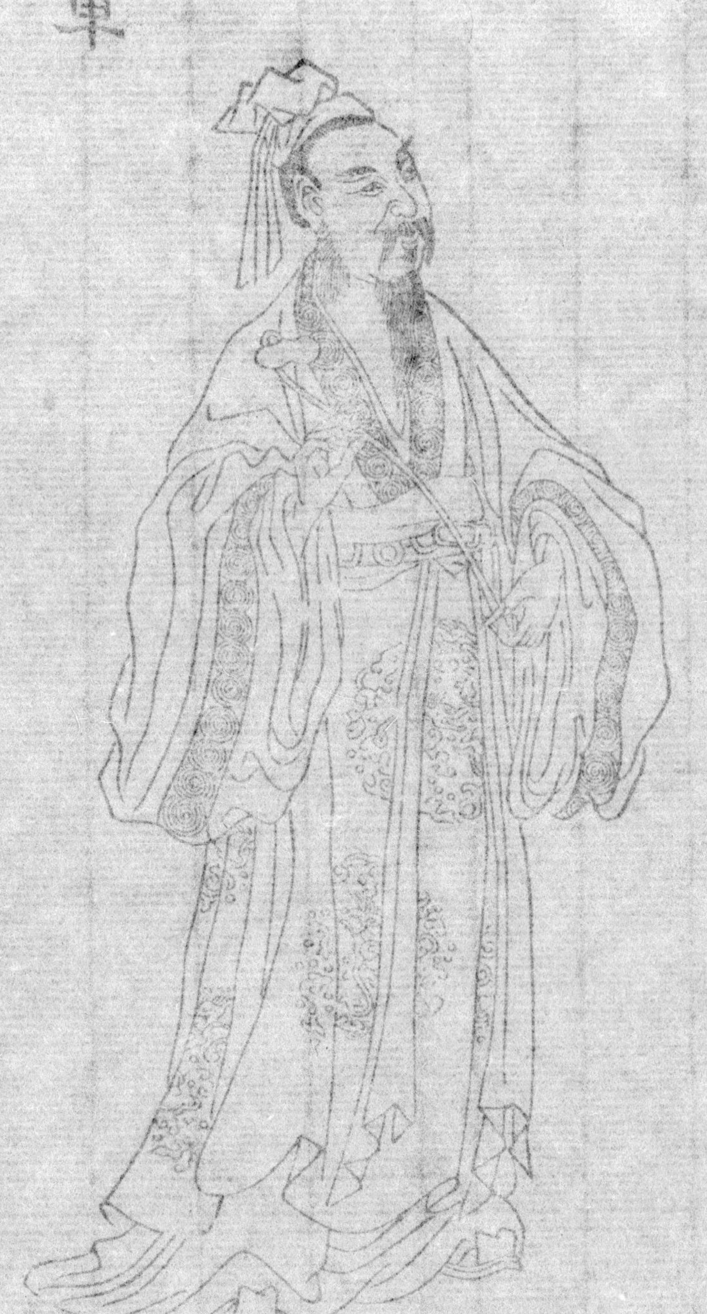

顧虎頭

金陵初置瓦棺寺僧衆設會請朝賢鳴刹注疏其士大夫無過十萬者愷之刹注一百萬後寺成僧請勾疏愷之曰宜置一壁遂閉户畫維摩一軀畢将點眸子謂寺僧曰第一日開見者責施十萬第二日可五百萬任施乃開户光明照寺施者填咽俄而果百萬

字長康無錫人博學有才嘗爲桓温殷仲堪參軍謝安重之一日在仲堪府因假還仲堪以布帆借之至破冢遭風大敗遺牋仲堪曰地名破冢真破冢而出行人安穩布帆無恙有人問會稽山水何如答曰千巖競秀萬壑争流又嘗以一廚畫封寄桓元皆其平日最珍惜者桓元發其廚後取其畫以紙卷緘之如舊還之紿曰原紙未開了無怯色自云妙畫通靈變化而去亦猶人之登仙也官散騎常侍又嘗爲虎頭将軍人號顧虎頭

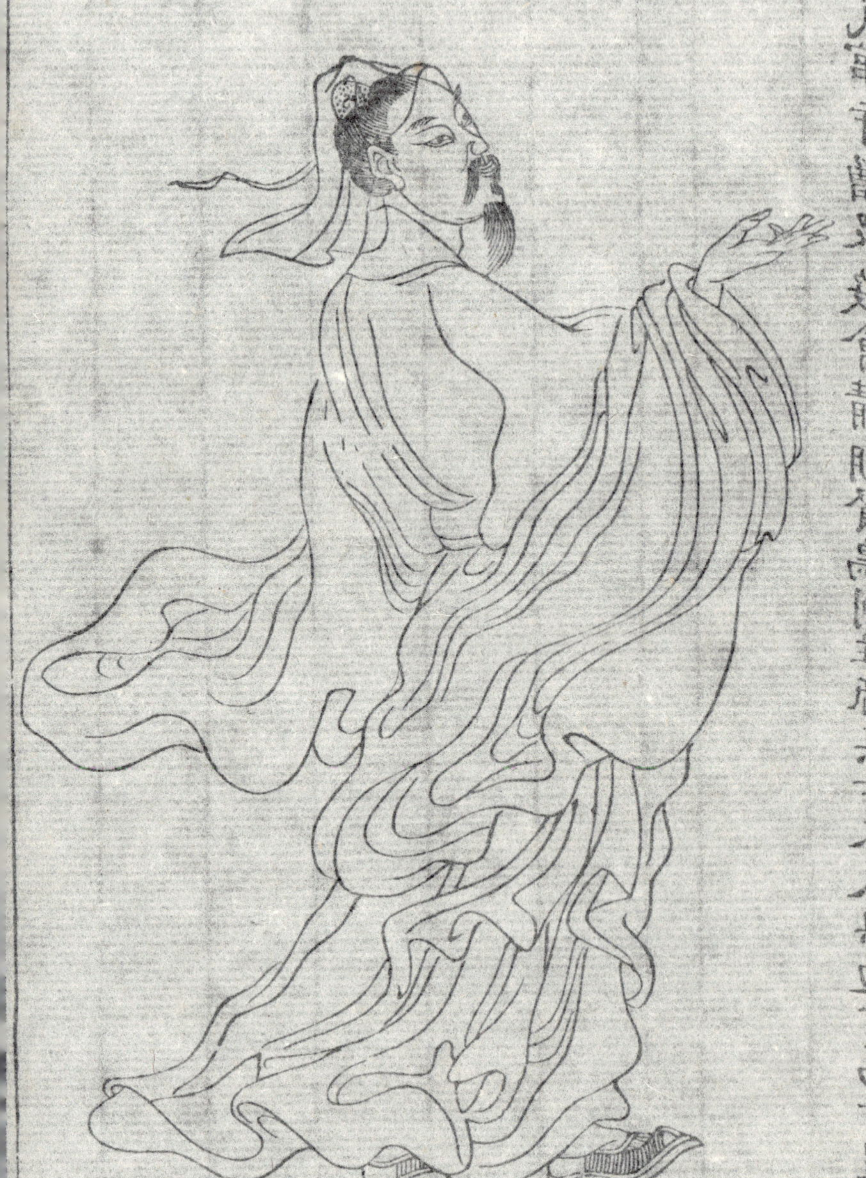

遠公

遠公在廬山中雖老講論不輟弟子中或有墮者遠公曰桑榆之光理無遠照但朝陽之暉與時並明耳執經登坐諷誦朗暢詞色甚苦高足之徒肅然增敬

師姓賈氏雁門樓煩人幼而好學隨舅令狐氏遊許洛博綜六經尤善莊老時沙門釋道安建剎於太行常山一面盡敬以為真吾師也聽講般若經豁然開悟嘆曰九流異議皆糠粃耳遂與母弟慧持投簪受業別至尋陽見廬山閑曠可以息心是夜因宿馬夢山神告曰此山足可棲神願毋徃其夕大雨雷震詰旦林麓廣闊楩柟文梓充磊布地不知所至太守桓伊奇之敬感乃為建剎名其殿曰神運寺近西林因號東林

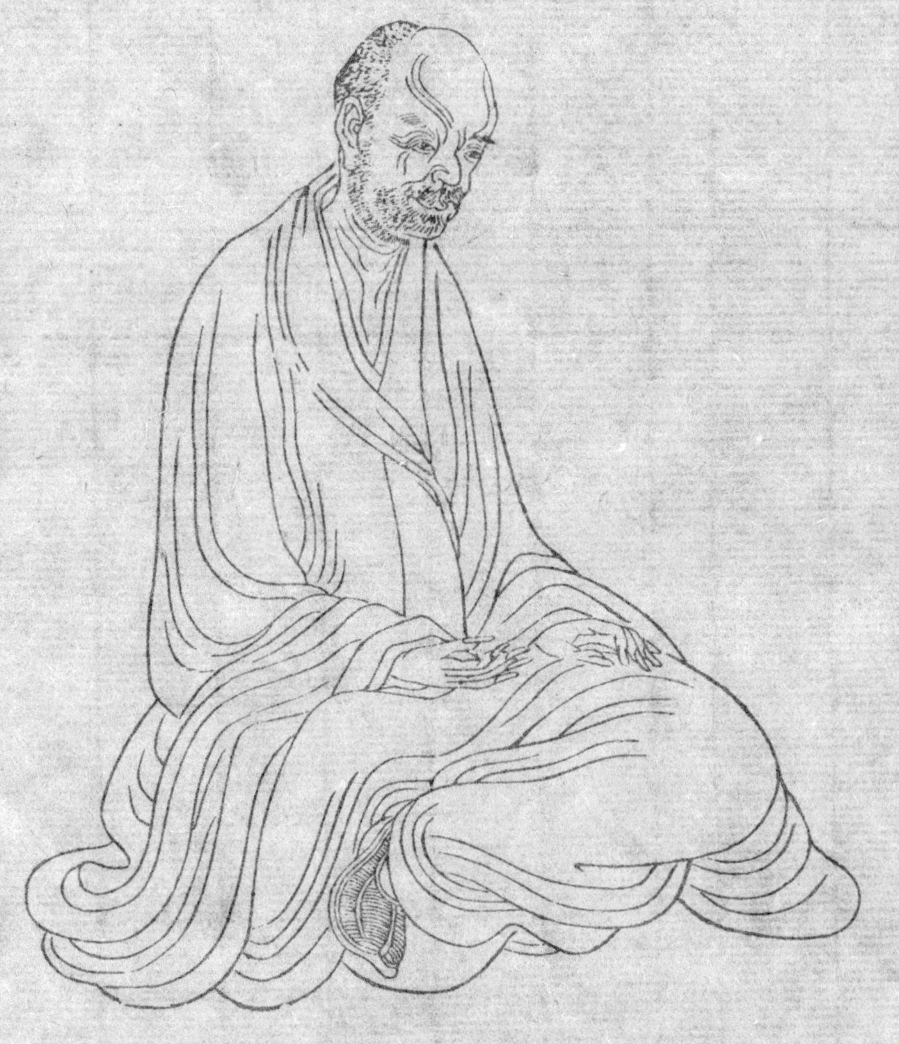

狄文惠

公為內史則天謂之曰卿在汝南甚有善政欲知能譖卿者乎仁傑謝曰陛下以臣為過臣當改之陛下明臣臣之幸也若臣不知譖者並為友善臣請不知則天深加歎異

晚笑堂畫傳　唐　卅

武后欲以武三思為太子問宰相莫敢對仁傑曰臣觀天人未厭唐德比匈奴犯邊陛下使三思募兵踰月不及千人而廬陵王代之一呼輒五萬大較可知矣今欲嗣統非廬陵王不可后怒罷久之召謂曰朕數夢雙陸不勝何也對曰雙陸不勝蓋為無子天其儆陛下乎夫姑姪與母子孰親陛下立廬陵則千秋萬歲常享宗廟三思立姪寧祔姑於廟乎后乃感悟即日迎歸廬陵王王至后匿之帳中召見仁傑語廬陵事仁傑至泣下后乃使王出曰還爾太子

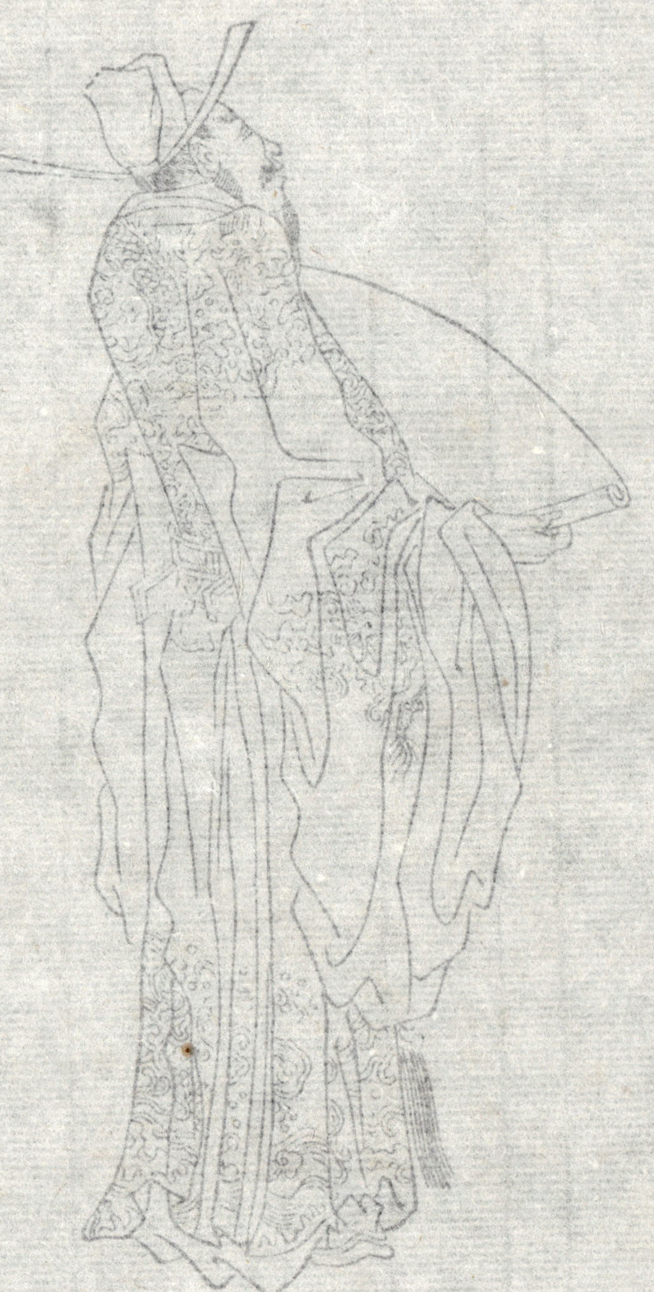

張文獻

帝入蜀思公言為泣下乃遣祭韶州當是時天下稱為曲江公而不名

齡字子壽韶州人擢進士侍明皇為中書令李林甫忌之會上欲擢張守珪九齡諫止上千秋群臣並獻寶鑑九齡獨上事鑒十章號千秋金鑑錄以伸諷諭武惠妃誅陷太子瑛九齡執不可妃密遣宦奴告之曰廢必有興公為援宰相可長處也九齡叱之曰房幄中安得有外言遽奏上帝為動色而太子無患安祿山自范陽偏校入奏九齡一見謂裴光庭曰亂幽州者此胡雛也明皇欲進牛仙客屢諫帝怒曰豈以仙客寒士嫌之齡曰仙客起胥吏目不知書韓信淮陰一壯夫猶羞與絳灌列臣豈顧與仙客伍帝不納因獻白羽扇賦以識其意末有云苟効用之得所雖殺身有何怨又曰縱秋風之移奪終感恩於篋中帝雖優詔答之卒罷

司馬真一

先生諱承禎字子微河内人好學工篆隸居天台紫霄峰則天睿宗明
皇累召問道術後居王屋山卒贈真一先生

開元中文靖天師與先生赴千秋節齋直長生殿隔雲屏各就枕徹聞若小兒誦經聲天師乃褰裳躡步聽之見先生額上有一小日如錢光耀一席逼而視之乃先生腦中之聲也天師還謂其徒曰黃庭經云泥丸九真皆有房方圓一寸處此中先生之謂乎

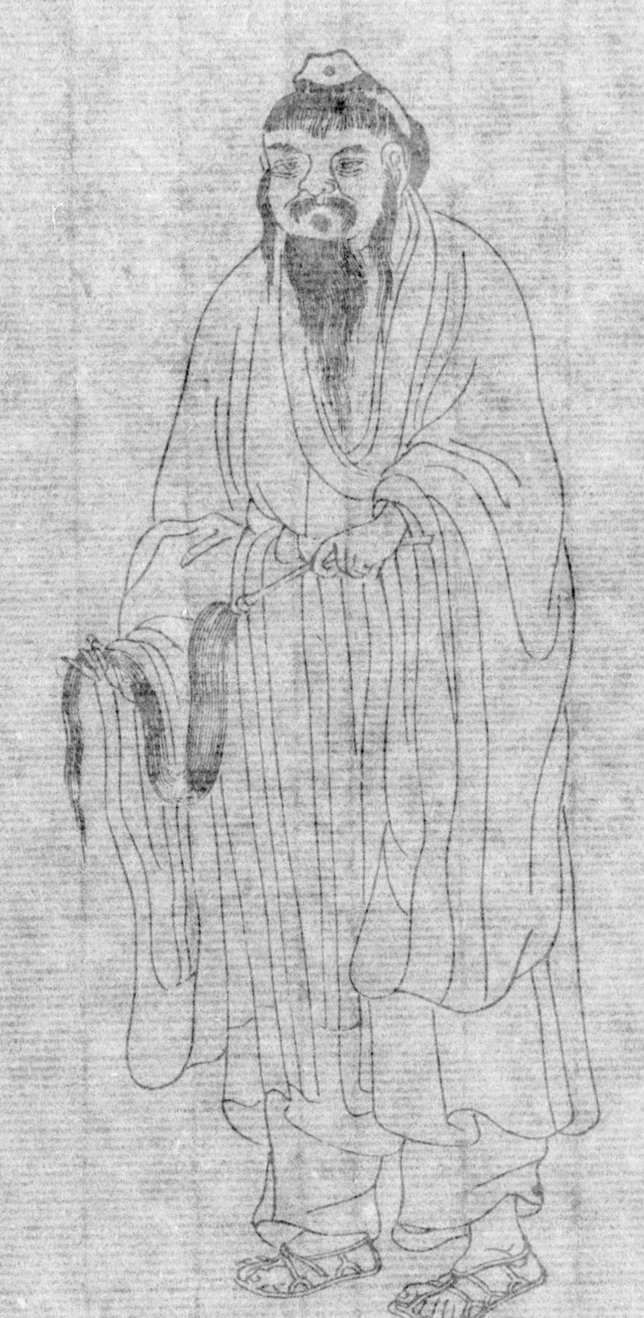

張中丞

公長七尺餘鬚髯若神怒輒盡張讀書不過三復終身不忘為文章不立稾所在士卒居人一見問姓名後無不識行兵不依古法教戰陣令本將各以其意教之每戰立於戰所謂將士曰我不離此將士莫敢不死戰卒破敵又推誠待人無所疑隱臨敵應變出奇無窮號令明賞罰信與衆共甘苦寒暑故下爭致死力其守睢陽詩有裹瘡猶出陣飲血更登陴忠信應難敵堅貞諒不移之句

公諱巡字巡南陽人自幼氣志高邁既長博通群書曉戰陣與凡曉皆以文行知名開元末擢進士抜萃二科令真源日安祿山反公率吏民哭玄元皇帝祠誅起兵討賊至雍丘與賊將戰數敗賊最後賊攻睢陽公入睢與太守許公遠等被賊由主客郎中何南節度副使拜御史中丞賊來圍城又敗之公能以少擊衆未嘗敗北前後更歷大小數百戰斬將三百卒五十餘萬後城復被圍城中食盡賊登城士病不能戰公南向拜曰生不能報陛下死當為厲鬼以殺賊城陷被執賊怒公抗言以刀抉其口僅存齒三四又脅以刃不屈遂遇害有姊嫁陸氏號陸家姑號王巨東走臨淮時姑遮勸勿行不納賜繒百疋弗受先被害公沒詔贈揚州大都督開府儀同三司立廟睢陽歲時致祭拜子亞夫金吾大將軍他子去疾亦授官妻封申國夫人賜帛百疋後圖像凌烟閣

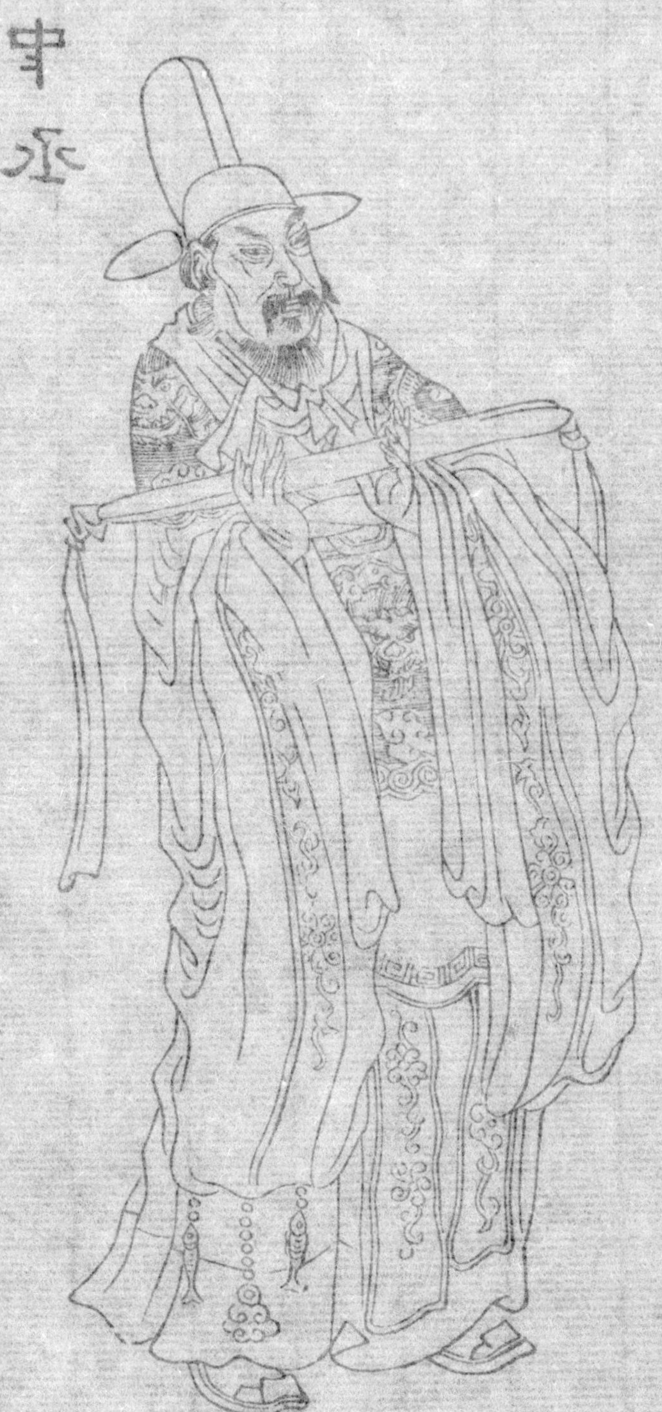

顏忠節

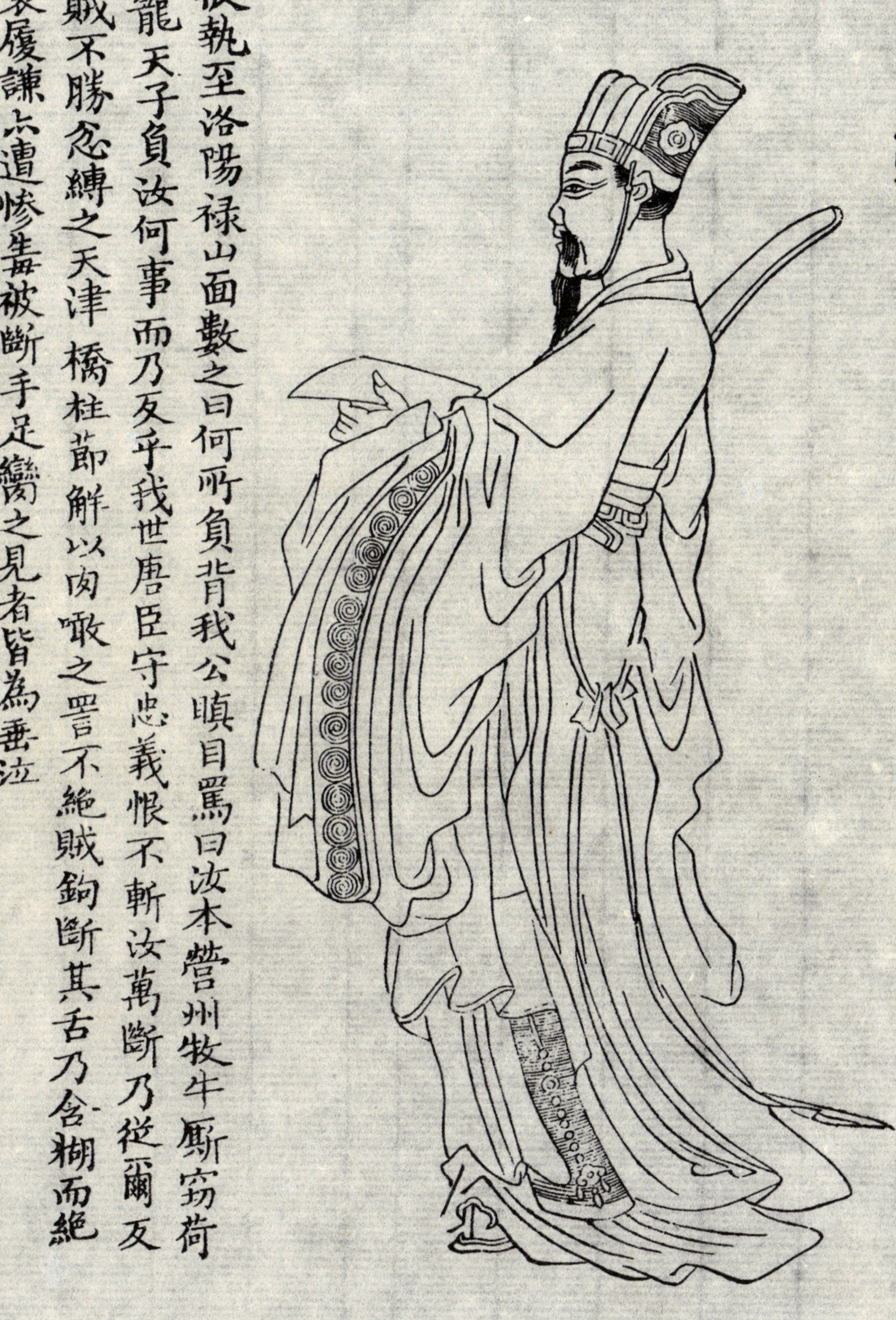

公被執至洛陽祿山面數之曰何所負背我公瞋目罵曰汝本營州牧牛羯奴荷恩寵天子負汝何事而乃反乎我世唐臣守忠義恨不斬汝萬斷乃從爾反乎賊不勝忿縛之天津橋柱節解以肉噉之詈不絕賊鉤斷其舌乃含糊而絕時袁履謙亦遭慘毒被斷手足臠之見者皆為垂泣

公諱杲卿字昕瑯琊臨沂人父元孫濠州刺史公蔭調遂州司法參軍然性剛直涖事明敏開元中與兄弟並書判超等再以最遷范陽户曹參軍振舉綱目政稱第一祿山聞其名表為營田判官假常山太守及聞舉兵赴闕與長史袁履謙迎謁賜以緋紫袍服公指以示履謙曰何為着此即與定謀起兵討賊會從弟真卿遣甥盧逖約斷賊北道公大喜與相犄角挫賊西鋒斬賊將首又械兩賊送京師玄宗擢公衛尉卿兼御史中丞履謙常山太守收兵鍊卒傳檄河北賊將棄甲走於是諸郡響應祿山懼使將晝夜攻常山糧竭矢盡六日而陷與履謙為被執使降不從加刃少子季明頸上亦不答遂并盧逖殺之送公至洛陽被害年六十五公沒後有張湊者得其遺髮尚如動持謁玄宗是夕徵於夢寤為致祭乾元中贈太子太保謚忠節建中間加贈司徒葬長安鳳棲原與季明逖同塋長子泉明有孝義為政廉明官至彭州司馬

顏忠節

唐

三五

顏文忠

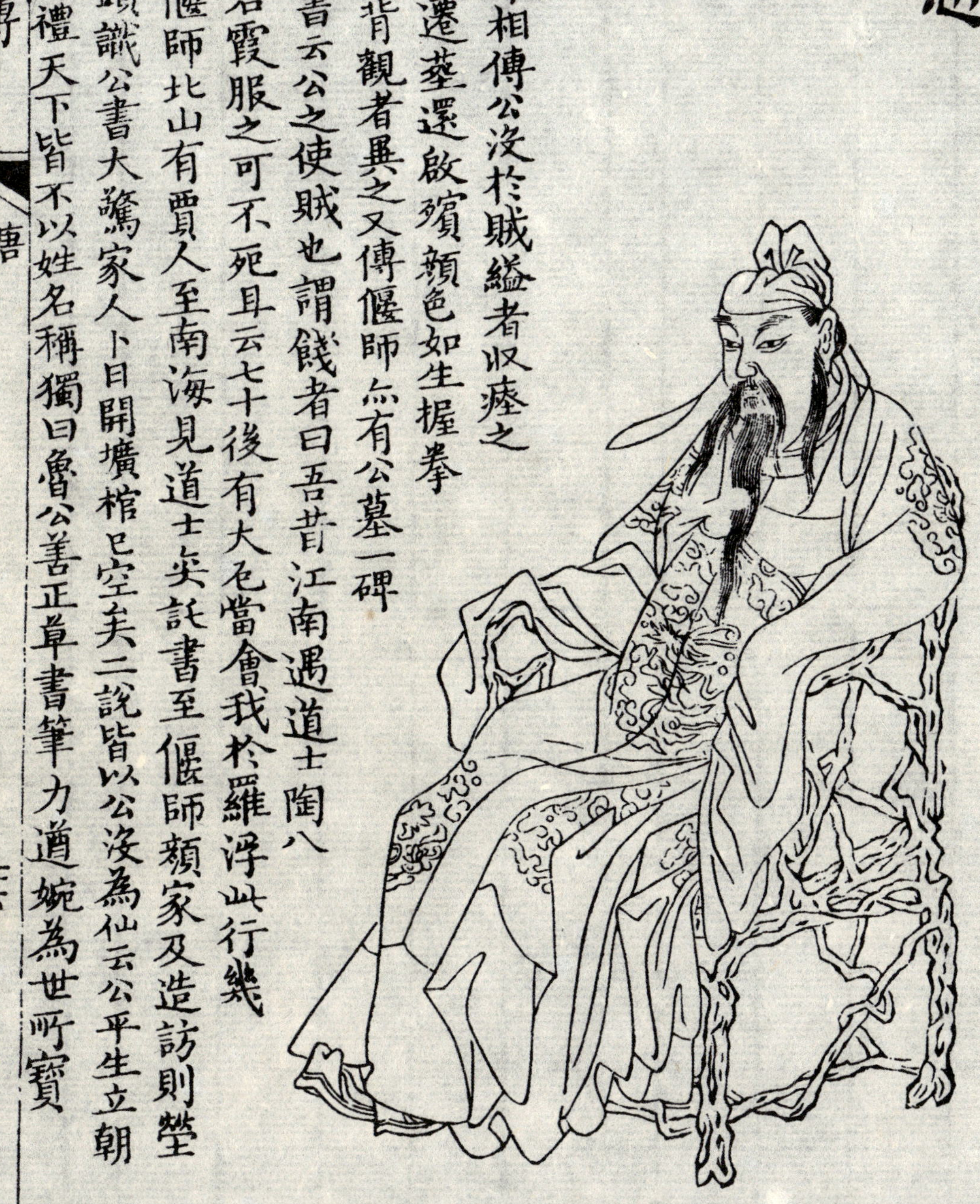

公墓在曲阜相傳公沒於賊縊者收瘞之賊平其家遷葬還啟殯顏色如生握拳不開爪透手背觀者異之又傳偃師亦有公墓一碑陰刻米芾書云公之使賊也謂餞者曰吾昔江南遇道士陶八八授以刀圭碧霞服之可不死且云七十後有大厄當會我於羅浮山行幾是後公葬偃師北山有賈人至南海見道士尖託書至偃師顏家及造訪則塋也守冢蒼頭識公書大驚家人卜日開壙棺已空矣二說皆以公沒為仙云公平生立朝正色剛而有禮天下皆不以姓名稱獨曰魯公善正草書筆力遒婉為世所寶

公諱真卿字清臣瑯琊臨沂人少孤母殷氏躬加訓導既長博學工辭章事親盡孝開元中登進士制舉二科累遷至侍御史以不附楊國忠改別職又出為平原太守祿山反河朔盡陷平原獨守遣參軍李平入奏玄宗方歎河北二十四郡無一忠臣及平至大喜謂左右曰朕不識顏真卿何如人所為乃若此就加戶部侍郎俄拜河北招討採訪使肅宗拜工部尚書至德初朝於鳳翔詔授憲部尚書遷御史大夫兩京復後建言為宰相所厭出官於外唐旻効之遭貶後為刑部侍郎李輔國惡之復貶代宗立改尚書右丞元載銜之俄拜檢校刑部尚書知省事封魯郡公為朔方行營宣慰使坐誹謗遭貶載誅以楊綰薦為刑部尚書改吏部德宗立楊炎當國以直不容改太子少師猶領使及盧杞為相乃改太子太師罷使將遂之李希烈陷汝州建議使公往諭公往宣詔賊百端凌逼欲降公公卒不屈縊死年七十六贈司徒謚文忠子頵碩

郭忠武

王諱子儀華州鄭縣人自武舉補左衛長史累遷同平章事平安史之亂功居第一加司徒封代國公德宗賜號尚父封汾陽王謚忠武

子儀為上將擁强兵程元振魚朝恩讒謗百端詔書一至即日就道由是讒謗不行嘗遣使至田承嗣所承嗣西望拜之曰此膝不屈於人多年矣李靈曜據汴州作亂公私物過汴州者留之惟子儀物不敢近遣兵衛送出境校中書令考凡二十四府庫珍寶山積家人三千八子七壻皆為朝廷顯官諸孫數十人每問安不能盡辨頷之而已僕固懷恩李懷光渾瑊輩皆出麾下雖貴為王公常頤指役使趨走於前家人亦以僕隸視之天下以其身為安危者殆三十年功蓋天下而主不疑位極人臣而衆不疾窮奢極欲而人不知非壽八十五而終

狄武襄

狄青字漢臣西河人風骨奇偉善射仁宗時西夏叛青為延州指使每戰敵望之如神累立大功拜樞密使卒謚武襄

青起卒伍從征元昊常為先鋒大小二十五戰每臨敵必被髮帶銅面具所至披靡莫有當鋒者尹洙嘗與談兵即薦之韓琦范仲淹二人一見奇之仲淹授以左氏春秋謂曰將不知古今匹夫勇也青遂折節讀書悉古名將兵法自是名益顯聲動華夏而能以畏慎自保儂智高既敗賊尸有衣金龍衣者衆謂智高已死便欲上聞青曰安知非詐吾寧失智高豈敢誣朝廷其面故有涅既貴顯涅猶存上敕青傅藥去涅字青指其面曰陛下以功擢臣不問門第臣所以有今日出此涅耳願留以勸軍士不敢奉詔神宗考次近世將帥至青慨然思之命取青畫像入禁中御製祭文而遣中使祠其家

公為文清遒粹美工書法為當時第一仁宗命書元舅隴西王及溫成后父碑辭曰此待詔職耳終不奉詔於朋友尚信義聞其喪不御酒肉為位而哭神宗未及識之而聞其名宰相王珪等列其賢以為可惜帝惻然哀之特官其幼子相傳萬安橋之作也先是海渡歲多溺死公欲曡石為梁慮潮漫不可以人力勝乃遣吏往檄海神 海神報以醋字公悟神教以廿一日酉時興工至期潮果退舍凡八日夕而工成云

蔡忠惠

公諱襄字君謨仙遊人舉進士調西京留守推官薦為館閣校勘仁宗命知諫院數獻直言進直史館兼修起居注任職論事無所回撓母老求知福州為福建轉運使開古五塘溉民田奏減五代時丁口稅之半復名修起居注進知制誥帝遇之益厚賜其母冠帔手書君謨兩字賜之遷龍圖閣直學士知開封公精於吏事談笑剖決破姦發隱吏不能欺以樞密直學士再知福州聘名賢誨諸生俗重舉喪至破產飯僧公下令禁止徙知泉州造萬安橋種礪於礎以為固至今賴之召為翰林學士轉三司使量力制用划剔蠹弊簿書紀綱皆可法則旋乞外拜端明殿學士知杭州丁母憂卒年五十六贈吏部侍郎後謚忠惠

司馬文正

光居洛十五年天下以為真宰相田夫野老皆號為司馬相公婦人孺子亦知其為司馬君實也蘇軾自登州還緣道人相聚號呼曰寄謝司馬相公毋去朝廷厚自愛以活我光自所至百姓遮道聚觀馬至不得行亦嘗自言吾無過人處但平生未嘗有一事不可對人言者

光字君實陝西夏縣人仁宗元和進士神宗即位擢為翰林學士號論修心治國之要且曰臣獲事三朝皆以此六言獻平生力學所得盡在是矣執政以河朔旱傷國用不足與王安石呂惠卿辨論新法帝是光欲用之乃拜樞密副使辭不奉命復為蘇軾呂公著辨安石李定之由遂求去出知永興軍徙知許州趣入覲不赴請判西京御史臺歸洛自是絕口不論事元豐五年資治通鑑書成加資政殿學士帝崩臨闕衛士望見以手加額曰此司馬相公也哲宗朝拜尚書左僕射新法次弟更之後得疾折簡與呂公著曰光以身付醫以家事付愚子惟國事未有所託今以屬公為條其便甚悉尋卒年六十八

劉忠定

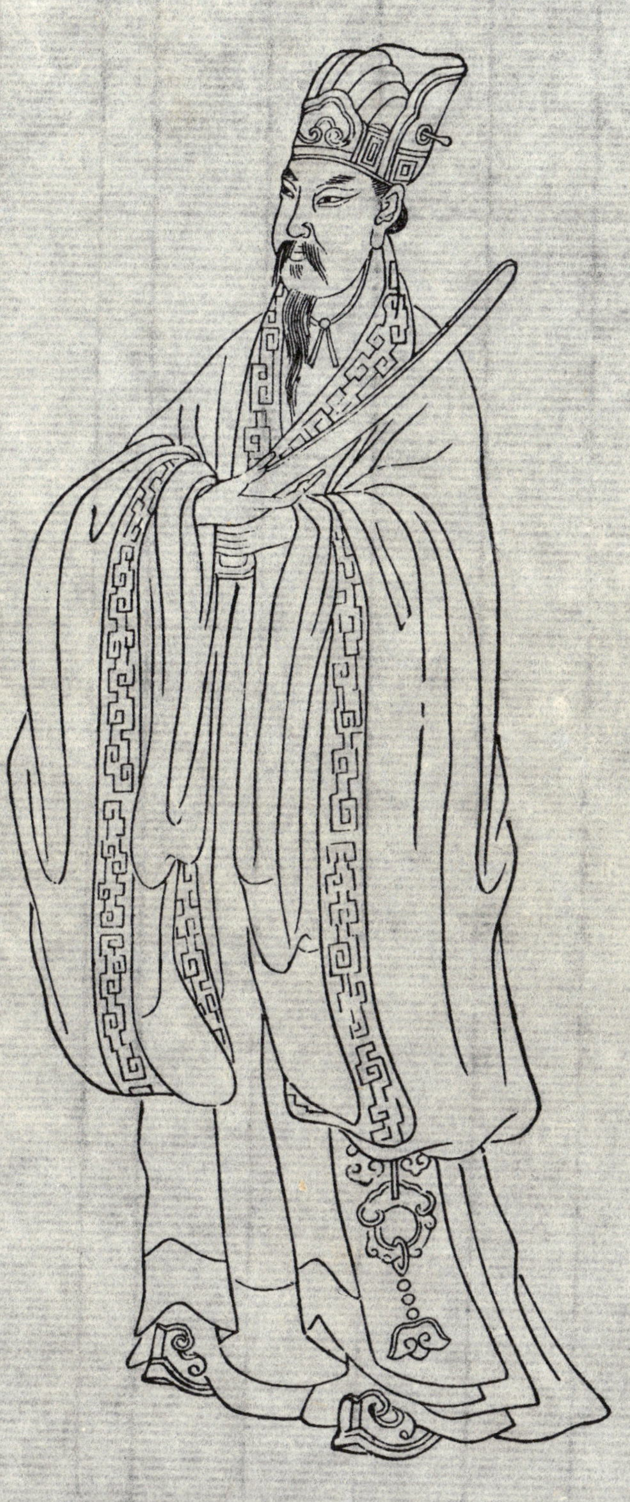

公儀狀魁碩音吐如鐘初除諫官未拜命入白母母曰諫官天子諍臣汝父欲為而不淂汝今幸得居此當捐身以報國若得罪流放無問遠近吾當從汝故公在戢累廷爭或帝盛怒則執簡却立伺怒稍解復前抗辭旁侍者蓄縮悚汗咸目之曰殿上虎東坡論元佑人才至公則曰器之真鐵漢公生平不作艸書不爱聲色貨利其忠孝正直皆則象司馬光云

公諱安世字器之魏人太僕卿航子自少識見已如成人持論有定登第後以司馬光薦為秘書正字呂公著又薦擢右正言復遷至左諫議大夫論事不報遂請祠提舉崇福宮未幾名為寶文閣待制樞密都承旨俄出知成德軍章惇悪之屢貶至新州別駕安置英州蔡京欲致公死徙之梅遣使脅公自裁又令運判殺公公聞之色不動對客飲酒徐作書付僕書中皆經紀同貶當死者之家無及已事判官未至嘔血斃淂免章惇蔡卞又謀之以檻車收公行未數驛徽宗即位赦至乃還量移衡與鼎除集英殿修撰知鄆州復待制移真定曾布又忌之不令入朝蔡京為相連七謫至峡州羈管稍復承議郎又復待制卒年七十八謚忠定葬祥符縣後二年金人發其冢貌如生相驚語曰異人也為之盖棺乃去

黃文節

公赴鄉舉詩題出野無遺賢廬陵李洵讀先生詩中二句云渭水空藏月傳巖深鎖煙擊節稱賞云此人不惟文理冠場異日當以詩名擅天下遂膺首選

廷堅字魯直洪州人舉進士調葉縣尉熙寧初教授北京國子監留守文彥博才之東坡見其詩文以為超軼絕塵獨立萬物之表由是聲名大震哲宗立召為校書郎神宗實錄檢討官擢起舍人紹聖初出知宣州改鄂州因事貶涪州別駕徽宗即位以吏部員外郎名辭不就三年徙永州未聞而卒年六十一善行草楷與張耒晁補之秦觀天下稱為四學士初游灊皖山谷寺石牛洞樂其林泉之勝因自號山谷道人云

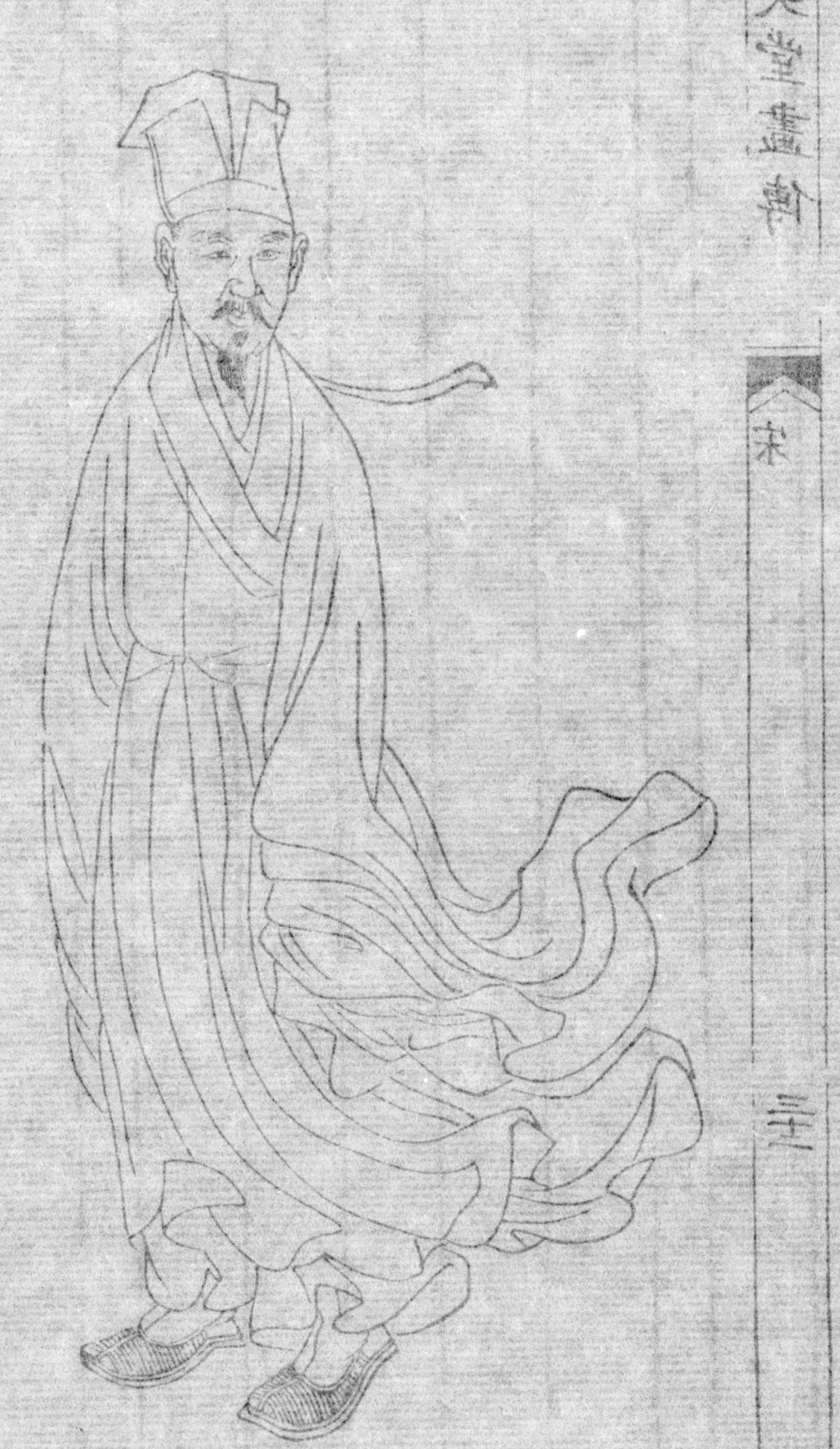

公生平負天下之望以一身用舍為社稷生民安危身雖在外知無不言雖不見用而心未嘗少変為相僅七十日而其忠誠義氣凜然動乎遐邇与趙忠簡公鼎皆為遠人所畏服每宋使至燕山必問李綱趙鼎安否朱子稱公為一代偉人云

李忠定

公諱綱字伯紀邵武人祖徙無錫故公自號梁谿漫叟登進士徽宗時官太常少卿金人渝盟朝議迎敵上禦戎五策欽宗即位除兵部侍郎又除尚書右丞數言京師當堅守不可去上使治兵禦敵拜親征行營使敵兵攻城身督戰斬其將士敵退時復議和公力與群議爭承命援姚平仲刦金師金使來詰遂罷公伏闕請留者衆帝復其右丞充京城四壁守禦使金師退除知樞密院事未幾徙南都迎道君還為執政所搆除河東北宣撫使屢有陳奏未幾公丐罷遂出知福州累遭貶謫金兵再至上名為開封尹被命率兵入援未至都城失守康王即位拜右相已而遷左相與黃潛善不合又有論公者遂罷奉祠旋居之鄂又萬安軍安置久之除湖廣宣撫使兼知潭州復罷奉祠後除江西安撫制置大使兼知洪州復知潭州荊湖南路安撫大使力辭允之奉祠卒年五十八訃聞士為軫悼贈少師謚忠定

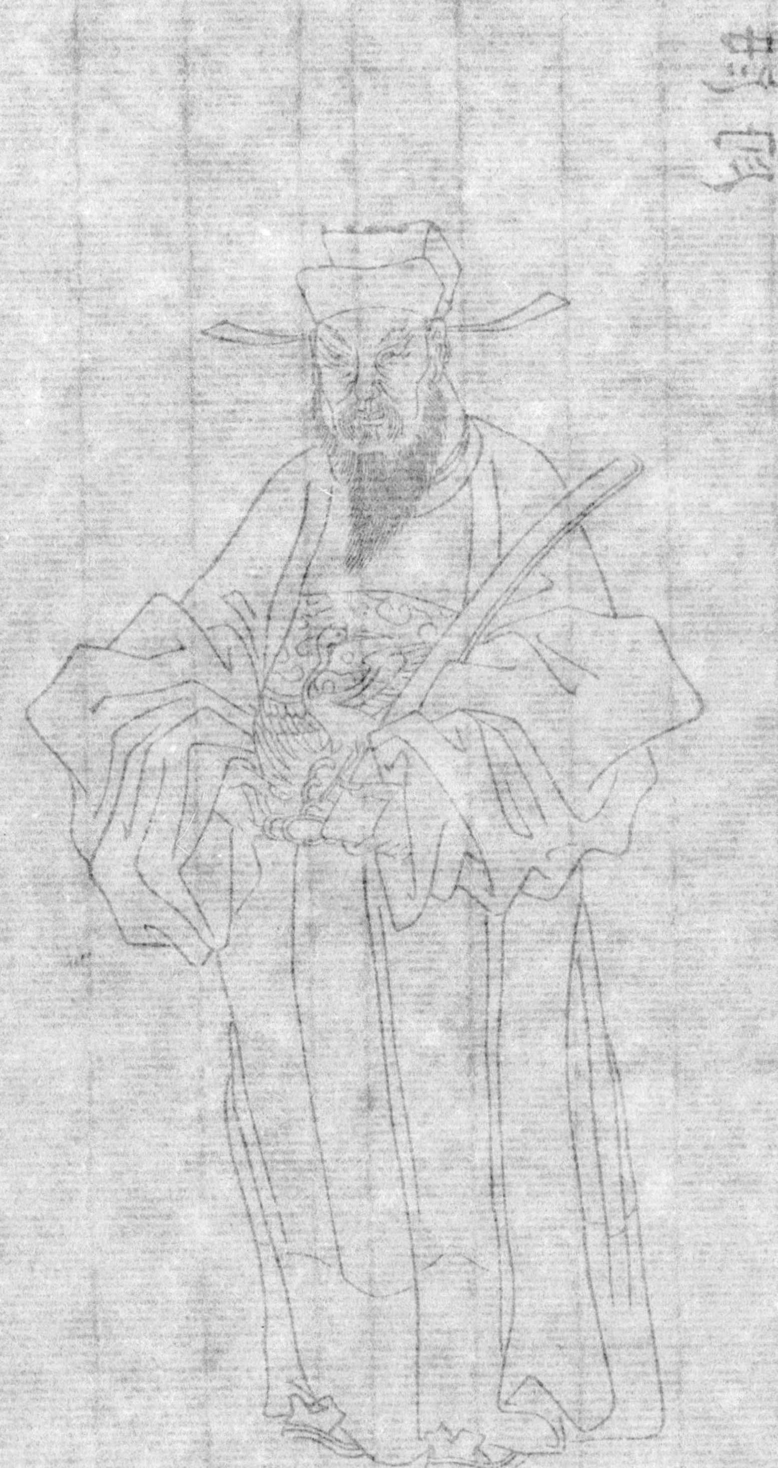

岳忠武王

宋嘉定四年追封鄂王寶慶祐謚忠武文曰李將軍口不出辭聞者流涕藺相如身雖已死凜然猶生又曰易名之典雖行議禮之言未一始為忠愍之號旋更武穆之稱獲覩中興之舊章灼知皇祖之本意爰取危身奉上之實仍采戡定禍亂之文合此兩言節其一惠昔孔明之志興漢室子儀之光復唐都雖計効以或殊在秉心而弗異垂之典冊何嫌今古之同辭賴及子孫將與河山而並久

王諱飛字鵬舉湯陰人父和母姚氏初生有禽若鵬飛鳴屋上因以名之少負氣節沈厚寡言家貧力學好讀左氏春秋孫吳兵法生有神力未冠挽弓三百斤弩八石學射於周同盡其術能左右射同死朔望致祭父知而義之宗靖康中應募誓以忠義報國官至少保樞密副使封武昌公性至孝母留河北遣人求訪迎歸侍疾藥餌必親及卒水漿不入口三日用兵能以寡擊衆平群盜敵金師大小數百皆勝好賢禮士覽經史雅歌投壺恂恂若書生詩詞書翰無不精絕在軍中法明而有恩張俊嘗問用兵之法王曰仁信智勇嚴闕一不可以忠憤激烈議論持正不挫於人為奸相秦繪所陷及子雲皆被害聞遇難時季女尚幼欲叩闕上書為邏卒所阻遂抱銀瓶投井死孝宗悟王冤復官改葬求其後悉官之建廟於鄂號忠烈王膺第亦立廟井在廟中範季女像於廡右王之父子與父母及諸孫名位通顯者後皆設像於王祠部曲諸將元朝皆贈為侯像亦繪於王之左右廟側為王墓墓上松栢枝皆南向

文信公

公臨刑後其妻歐陽氏收其尸面色如生撿衣帶中有贊云孔曰成仁孟曰取義惟其義盡所以仁至讀聖賢書所學何事而今而後庶幾無愧

文丞相字宋瑞吉水人舉進士對策考官王應麟奏曰是卷古誼若龜鑑忠肝如鐵石臣敢為得人賀帝親擢第一德祐初元兵亂江上報急詔天下勤王公盡以家資為軍費募得萬餘人赴義亦有謂曰子是行何異驅群羊而搏猛虎天祥曰吾亦知然國家養士三百年一朝有急徵天下兵無一人至吾深恨此故不自量力以身殉之庶天下忠臣義士將有聞風起者云及五坡嶺潰因彼執以至崖山見張弘範曰國亡丞相忠義盡矣能改心事今上將不失宰相也天祥濜然出涕曰國亡不能救為臣者死有餘罪敢事二姓乎乃送入京居燕三年元主將釋之會中山狂人起兵云取文丞相疑之元主猶不忍時有力贊者從之俄而有詔勿殺則天祥已死矣

亐忠肅

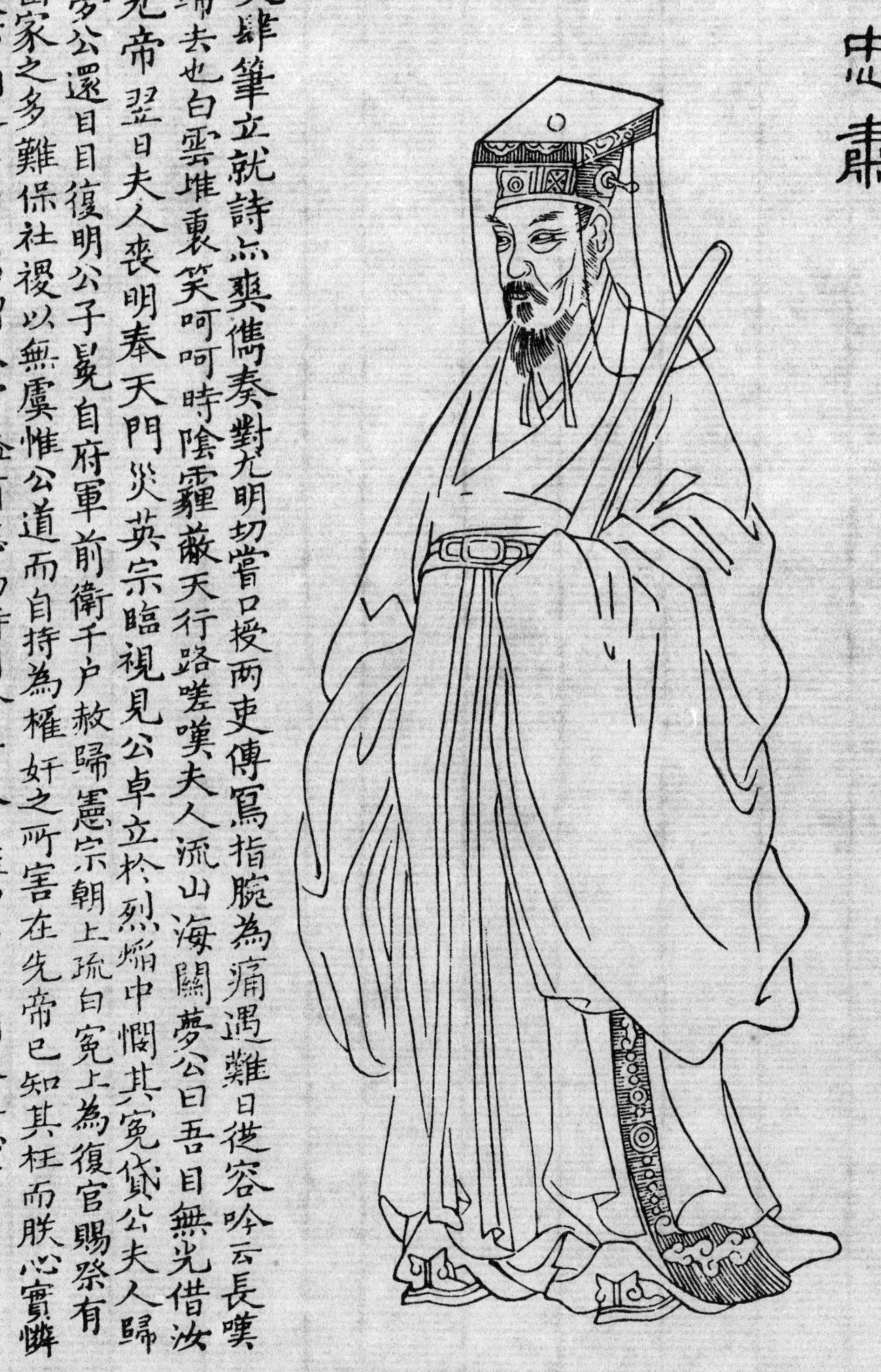

公為文輒筆立就詩亦爽儁奏對尤明切嘗口授兩吏傳寫指腕為痛遇難日從容吟云長嘆一聲歸去也白雲堆裏笑呵呵時陰霾蔽天行路嗟嘆夫人流山海關夢公曰吾目無光借汝眼以見帝翌日夫人喪明奉天門災英宗臨視見公卓立於烈焰中憫其寃貸公夫人歸夫人夢公還目目復明公子冕自府軍前衛千户赦歸憲宗朝上疏白寃上為復官賜祭有云當國家之多難保社稷以無虞惟公道而自持為權奸之所害在先帝已知其枉而朕心實憐其忠天下誦之孝宗朝加贈太常謚肅愍賜特祠於其墓曰旌功神宗朝改謚忠肅

公諱謙字廷益錢塘人七歲僧蘭古春奇之卜為救時宰相二十三舉進士拜御史公風骨秀峻音吐鴻暢每奏對宣廟必為傾聽按江西辨誣獄出寃民於權倖不少避超拜兵部右侍郎兼治河南山西遷左侍郎入朝或諷公以土物為交際公笑舉袖曰吾惟有清風而已王振陷公下法司論斬後赦為大理寺左少卿復撫河南山西明年始以兵部右侍郎名正統巳巳也先猖獗土木蒙塵太后命郕王攝政進公兵部尚書也先寇京師公力主戰敗之進少保總督軍務劾邉將退怯由是人競言戰守且誅為敵謀與為間者敵計益屈時復遣使與和且迎英宗景帝意不懌公從容進說帝改容從之英宗得歸景帝易儲加恩群臣晉公太子太傅公再辭其文婉約示風弗許景帝不豫石亨曹吉祥迎英宗復辟以積恨誣公謀反公笑不辨英宗曰謙實有功徐有貞請殺公遂被害籍其家自上賜外無長物後亦籍陳汝言家貲列內廡上見其多思公死無餘貲為愀然云

呂忠肅

王文成

公至贛日開書院與海内名士大夫講學設社教郡邑子弟歌詩習禮嶺北風俗為之一變

王守仁字伯安世稱陽明先生浙江餘姚人弘治乙未進士授刑部主事劾劉瑾逮獄謫貴州龍場驛丞陞廬陵知縣吏部主事正德間巡撫南贛討平宸濠陞南京兵部尚書封新建伯被譖削爵隆慶改元贈侯謚文成議祀孔子廟子正億嗣伯爵守仁才高學邃兼資文武英敏天成機權莫測其用兵也訓練嚴明籌畫精密對客笑談萬衆遄集擒酋斬馘獻凱轅門左右尚不知也

楊忠愍

公臨當赴義此所著年譜授子應尾曰後十年可開也復為詩二章其一曰浩氣還太虛丹心照千古生前未了事留與後人補其二曰天王自聖明制度高千古生平未報恩留作忠魂補

公諱繼盛字仲芳號椒山容城人忠愍其謚也舉嘉靖丁未進士授南京吏部驗封司主事問典章於鄭公曉論樂於韓公邦奇又從韓公受天文地理太乙六壬奇門兵陣之書諸僚有講聖門之學者公又從講學名重一時遷兵部車駕司員外郎時仇鸞怙勢為開馬市之議公力言其不可者十為說謬者五鸞中傷之被逮降狄道典史鸞誅四遷陞武選司員外公中夜起坐思舍身報國配張夫人從旁笑諷之歸謂一仇鸞困公幾死今相嵩父子百鸞也公大悟曰吾乃今知所以報遂草疏列嚴嵩十大罪五大姦疏上下於理以引二王故受諸杖具不屈遂被大杖擬重獄張夫人上疏乞代夫死為嵩所抑不得達竟附失律諸人後隕命年四十歲公沒地為震者五年隆慶初詔數褒卹

陶靖節

梁昭明太子云淵明文[illegible][illegible]不[illegible]詞彩精拔跌宕昭彰獨超衆類抑揚爽朗莫之與京橫素波而傍流干青雲而直上語時[illegible]則指而可想論懷抱則曠而且真加、貞志不休安道苦節自非大賢篤志與道汙隆孰能如是乎

先生諱淵明字元亮晉長沙公侃曾孫入宋名潛居潯陽柴桑里少有高趣嘗著五柳先生傳以自況時人謂之實錄親老家貧起為州祭酒少日自解歸州召主簿不就躬耕自[illegible]復為鎮軍建威參軍謂親朋曰聊欲弦歌以為三逕之資可乎執事者聞之以為彭澤令郡遣督郵至吏白應束帶見之先生歎曰我不能為五斗米折腰向鄉里小兒即日解印綬去賦歸去來詞義熙末徵著作佐郎不就晉宰輔後恥復屈身他姓所著文章皆題年月義熙以前則書年號自永初來惟云甲子妻翟氏同志勤苦夫耕於前妻鋤於後卒年六十三時宋元嘉四年也顏延年為誄稱為有晉徵士朱子綱目因之世號靖節亦延年所為私謚者

首都圖書館藏書之章

蘇若蘭

黃山谷題廻文錦詩云千詩織就廻文錦如此陽臺莫雨何亦有英靈蘇蕙手只無悔過竇連波

若蘭名蕙陳畱令武功道質第三女也智識精明儀容秀麗謙默自守不求顯揚年十六歸於扶風竇滔滔字連波丰神秀偉有文武材符秦時為安南將軍畱鎮襄陽初滔有寵姬趙陽臺若蘭不與相睦滔忿焉若蘭時年二十三滔將鎮襄陽邀其同往若蘭亦忿不與偕行滔遂攜陽臺之任斷其音問若蘭悔恨自傷因織錦廻文五綵相宣瑩心耀目其錦縱廣八寸題詩三千餘首計八百餘言縱橫反覆皆成章句名曰璇璣圖然讀者不能盡通若蘭笑謂人曰徘徊宛轉自成文章非我佳人莫之能解遂發蒼頭齎致襄陽滔覽之感其妙絕因送陽臺之關中而盛禮迎若蘭歸於漢南恩好愈重若蘭著文詞五千餘言當隋亂時文字散落而廻文詩於今猶在

若蘭名蕙，陳留令武功道賓第三女也。智識精明，儀容秀麗，謙默自守，不求顯揚。年十六歸於扶風竇滔，字連波，丰神秀偉，有文武材。苻秦時為安南將軍，留鎮襄陽。滔有寵姬趙陽臺，若蘭不與相攜，滔忿若蘭。時年二十三，滔將鎮襄陽，邀其同往，若蘭亦忿不與偕行。滔攜陽臺之任，斷其音問。若蘭悔自傷，因織錦迴文，五采相宣，瑩心耀目。其錦縱廣八寸，題詩二百餘首，計八百餘言，縱橫反覆，皆成章句，名曰璇璣圖。然讀者不能盡通，若蘭笑曰：「徘徊宛轉，自成文章，非我佳人，莫之能解。」遂發蒼頭齎致襄陽。滔覽之，歎其妙絕，因送陽臺之關中，而具車從盛禮迎若蘭歸於漢南，恩好愈重。若蘭所著文詞五千餘言，隋末喪亂，其文字散落，惟迴文詩多今猶在。

蘇若蘭

黃山谷題迴文錦詩：千詩織就迴文錦，如此陽臺暮雨何。亦有英靈蘇蕙手，只無悔過竇連波。

王子安

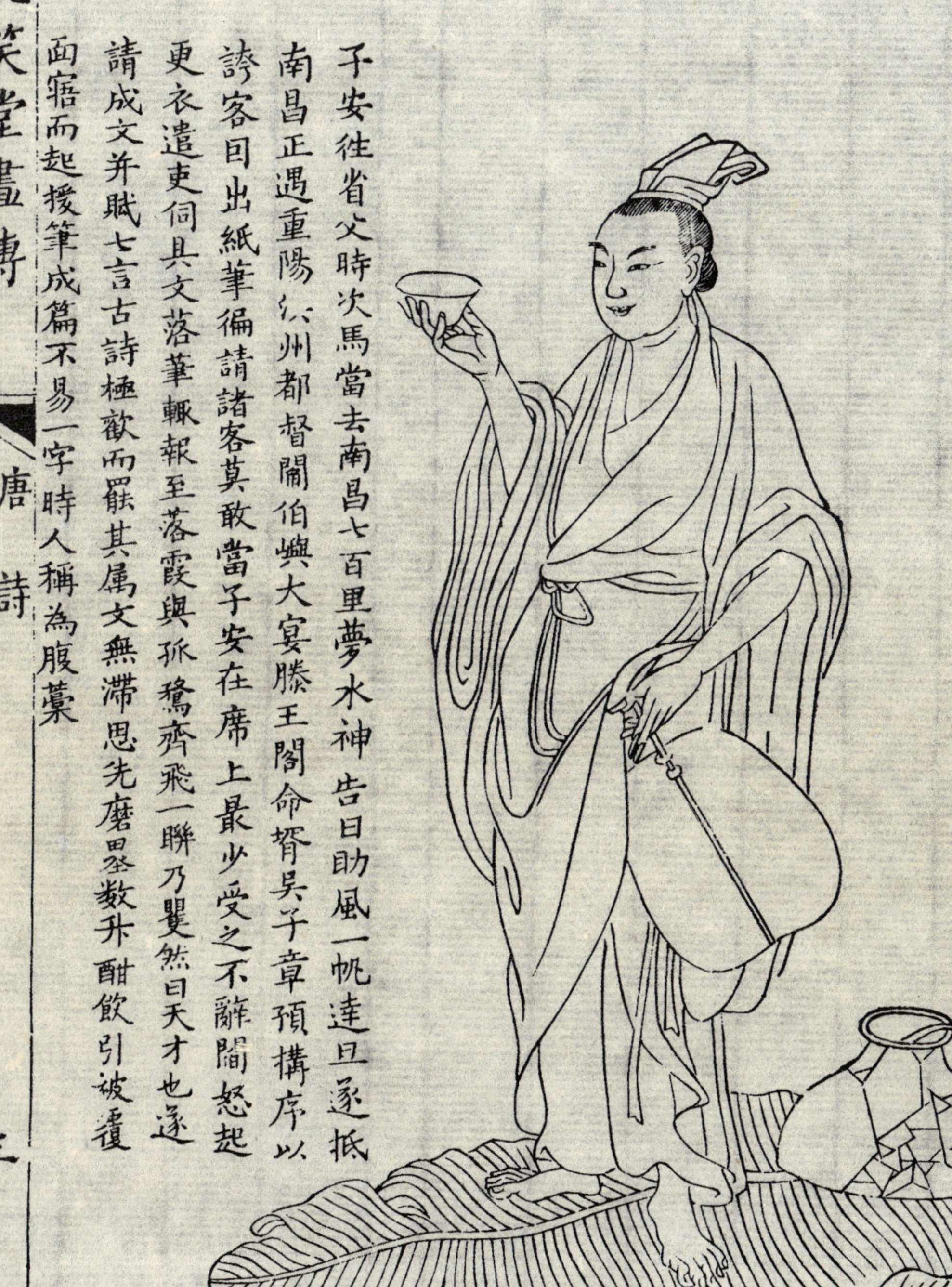
子安往省父時次馬當去南昌七百里夢水神告曰助風一帆達旦遂抵
南昌正遇重陽洪州都督閻伯嶼大宴滕王閣命婿吳子章預構序以
誇客因出紙筆徧請諸客莫敢當子安在席上最少受之不辭閻怒起
更衣遣吏伺其文落筆輙報至落霞與孤鶩齊飛一聯乃矍然曰天才也遂
請成文并賦七言古詩極歡而罷其屬文無滯思先磨墨數升酣飲引被覆
面寤而起援筆成篇不易一字時人稱為腹藁

王勃字子安絳州龍門人文中子之孫六歲善文辭九歲得顔師古注漢書讀之作指瑕以摘其失與兄勔勵才藻相類杜易簡與其父福時友稱為王氏三珠樹麟德初未冠上書關内巡察劉祥道表薦于朝對策高第授朝散郎乾封初上宸遊東岳頌又上乾元殿賦沛王聞其名召署府修撰論次平臺秘畧書成王愛重之戲為鬬雞文檄嬰高宗怒斥出府客遊劍南登山曠望慨然思諸葛之功賦詩見情聞虢州多產藥求補參軍坐殺官奴當誅遇赦除名伐父左遷交阯令往省渡海驚悸而卒年二十九

盈川與王盧駱為四傑嘗謂吾愧在盧前恥居王後重之者崔融李嶠張說謂勃文章宏逸有絕塵之姿固非常流所及烱与照鄰可以企及說謂楊盈川文思如懸河注水酌之不竭既優於盧亦不減王其稱恥居王後信然愧在盧前謙也

楊盈川

楊烱華陰人幼聰敏博學善屬文舉神童拜校書郎崇文館學士天后初遷詹事司直坐從弟神讓預徐敬業謀左轉梓州司法參軍秩滿遷盈川令無何卒中宗以舊寮追贈著作郎有文集三十卷名與王勃盧照鄰駱賓王齊裴行儉謂勃等雖有文才而浮躁衒露非享爵祿之器楊子沉靜應得令長餘得令終為幸後果應其言

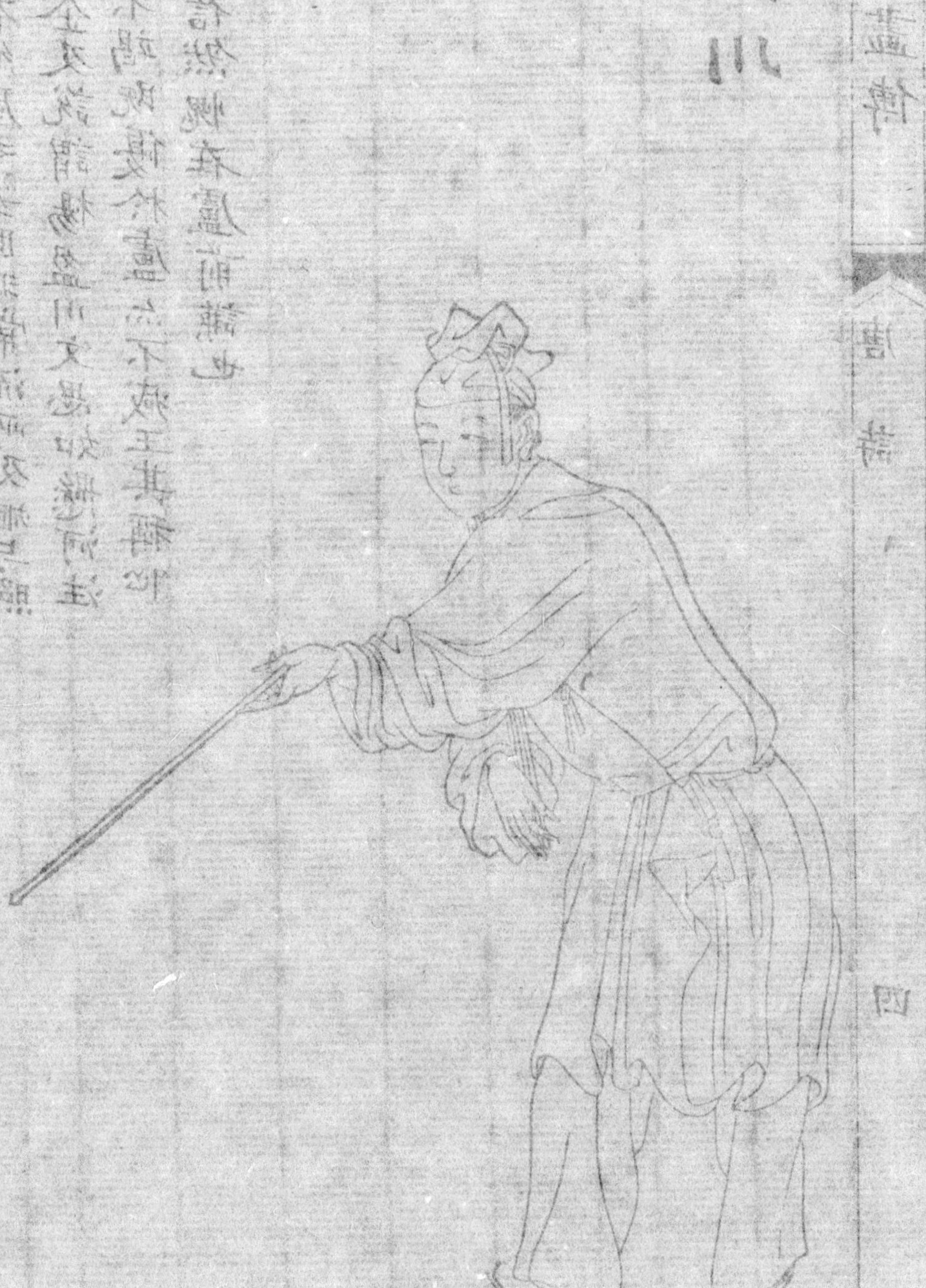

新都嘗著釋疾五悲等文五悲者已有親遭患遠離已尚儒遭世尚法已好清淨遭時兢悖已有病遭上封禪已有才遭癈不用頗有騷人之風甚為文士稱重

盧新都

盧照鄰字昇之范陽人年十餘歲就曹憲王義方受蒼雅幷經史及長博學善屬文初授鄧王府典籤王愛重之比為司馬相如後調新都尉因染風疾退處太白山得方士玄明膏餌之會父喪號嘔血出由是轉篤客東龍門山布衣藿食裴瑾之韋方質范履冰咸衣食之疾甚手足攣癈徙居陽翟之具茨山買園數十畝豫為墓偃臥其中後以疾沈痼不堪其苦乃自投潁水之濱與親戚相別而死時年四十有集二十卷

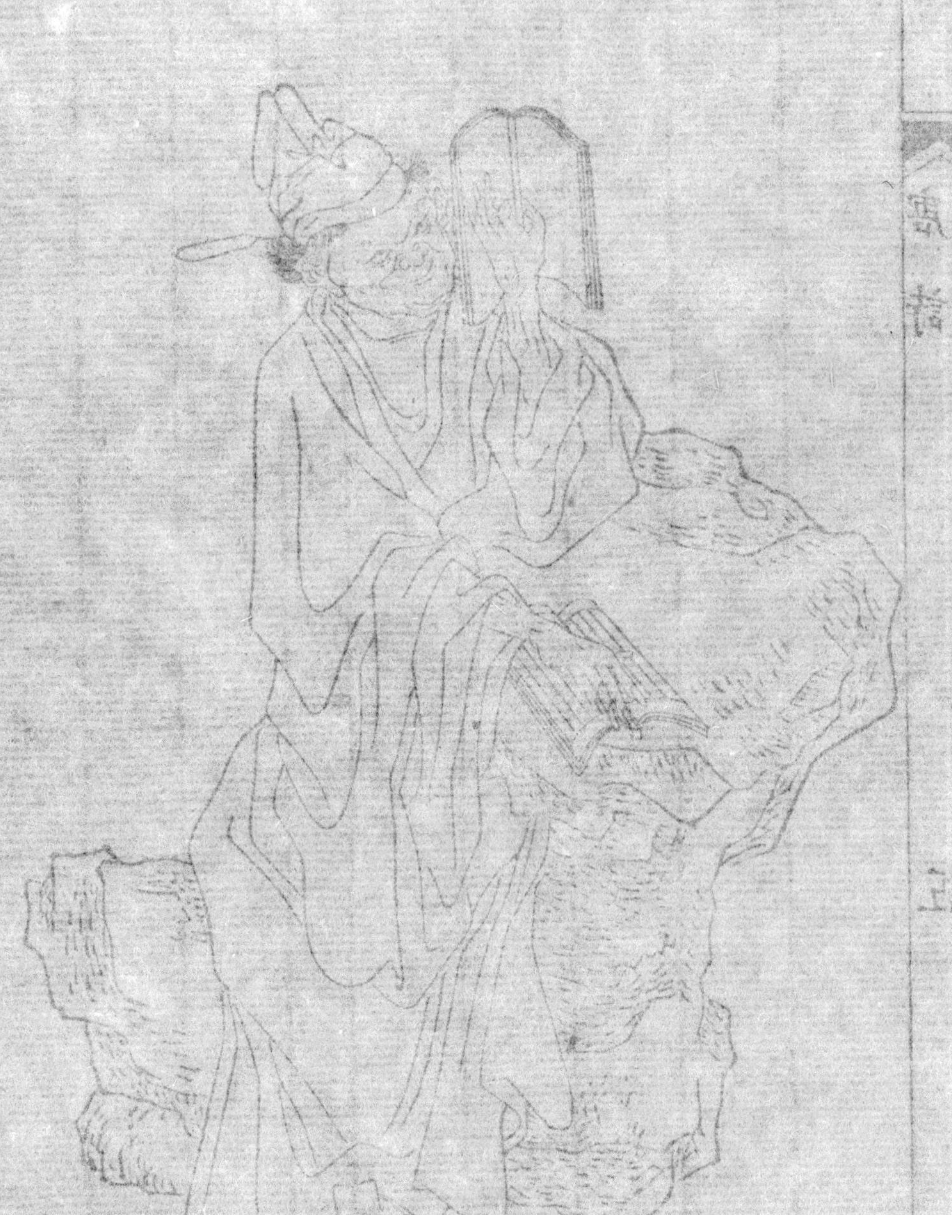

駱賓王

賓王亡命後人傳其為僧宋之問嘗游靈隐寺月夜行吟見一老僧問曰何不寐之問曰偶欲題此寺詩思未屬僧請吟上聯即曰何不云樓觀滄海日門對浙江潮之問愕然有知者曰賓王也

駱賓王義烏人六歲善屬文尤妙五言詩常作帝京篇當時以為絕唱初為道王府典籤高宗時歷武功長安二簿上書武后數言政事下除臨海縣丞怏怏失志棄官而去徐敬業起兵署為府屬軍中筆札皆出其手傳檄天下數后之罪后得而讀之初但嘻笑至一抔之土未乾六尺之孤安在瞿然曰誰為之或以名對后曰宰相安得失此人後亡命不知所終中宗詔求其文有兗州人郗雲卿集為十卷盛傳於世

孟浩然

浩然文不按古匠心獨妙時聞適私省秋月新霽諸英華賦詩作會浩然曰微雲淡河漢疎雨滴梧桐舉坐歎其清絶

孟浩然襄陽人自少文質傑出骨貌清淑好尚節義喜振人患難隱鹿門山以詩自適年四十始遊京師張九齡王維雅稱道之維私邀入內署俄而駕至不及避匿之牀下頃間維以實對玄宗喜曰朕聞其人未見何懼而匿詔出再拜令自誦其詩至不才明主棄帝怒曰卿不求仕奈何誣我因放還採訪使韓朝宗復欲薦之約與造朝會故人至歡飲忘其期卒不赴漫不為悔久之張九齡辟置荆南幕府以病卒後歲久門裔陵遲邱隴頹没符載叩節度使樊澤請為築大墓澤乃刻碑鳳林山南封崇其墓畫像置浩然亭咸通中刺史鄭誠謂賢者名不可斥更署曰孟亭

王摩詰

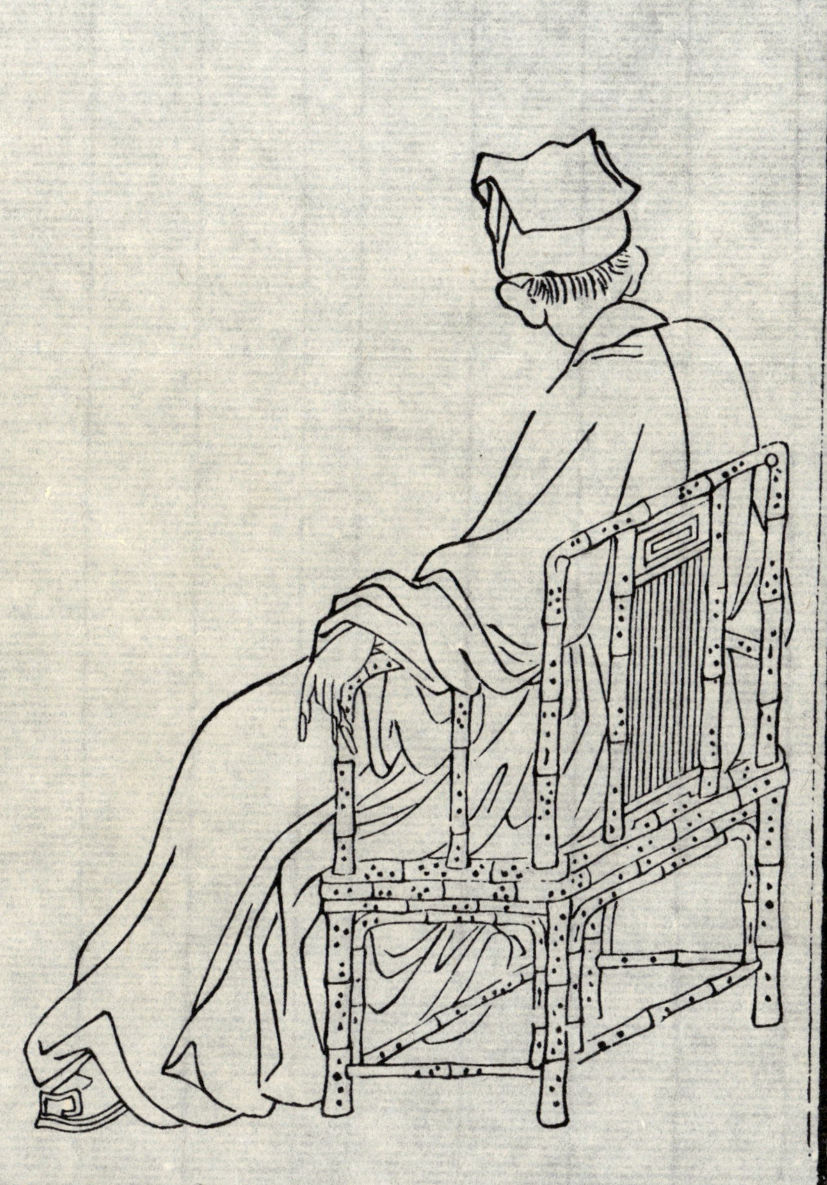

摩詰生平詩名冠代復工草隸善画思入神品至山水平遠雲根石色皆天機所到學者不及性好佛喪妻不娶鰥居三十年甞蔬食飯僧齋中布經案退朝後焚香默坐屏絶塵累後表輞川第為寺塟于其西

王維字摩詰太原祁人九歲知屬辭十九擢進士第一調大樂丞為濟州司倉參軍張九齡執政擢右拾遺歷監察御史性孝友母喪哀毀幾不能生服除累遷給事中為祿山所得素知其才迫任故官大宴凝碧池悉召梨園合樂諸工皆泣維聞悲甚賦詩悼痛賊平徵下獄弟縉請削官贖其罪上亦憐其有詩名下轉太子中允久之遷中庶子尚書右丞會弟縉遠刺川蜀摩詰自表已有五短縉有五長頟歸所任官使名縉還帝許之至上元初疾甚縉復出鎮鳳翔作書與別及親友停筆而化年六十一贈秘書監

李太白

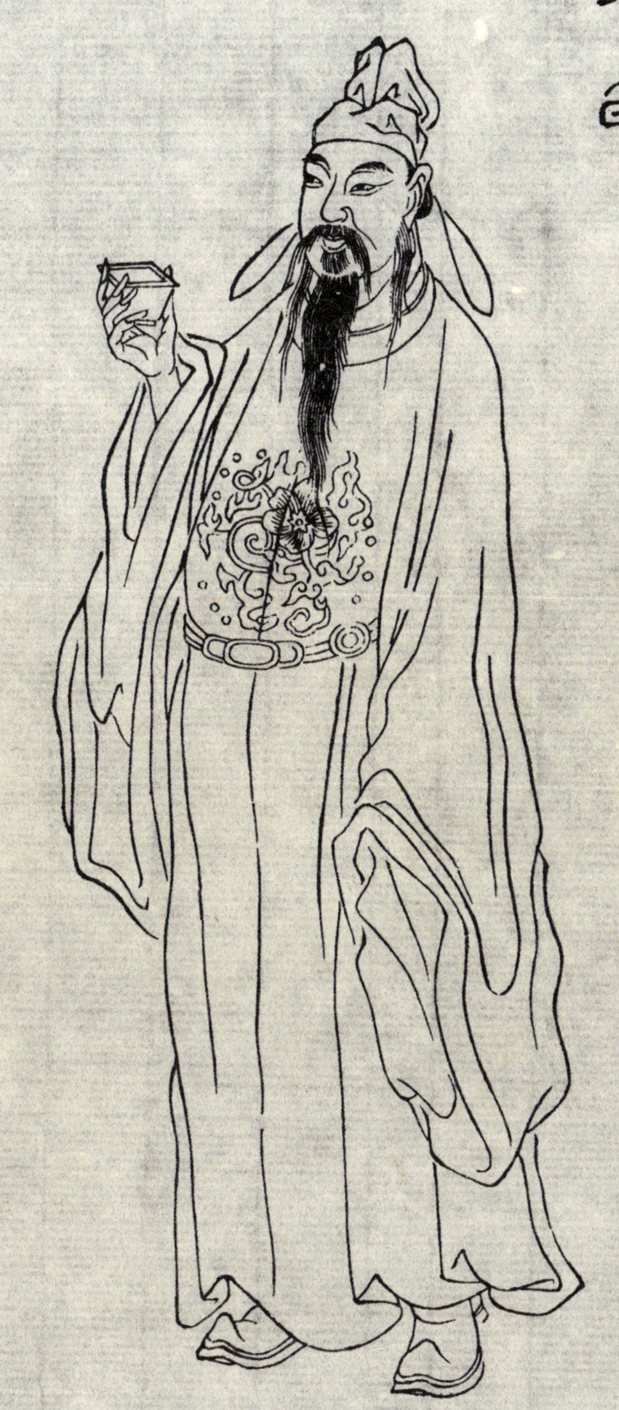

太白少夢筆頭生花自是天才倍贍沉酣中譔文未常錯誤而與不醉之人相對議事皆不出太白所見時人號為醉聖其詩放浪縱恣擺脫塵俗模寫物象體格豁達杜甫稱其詩無敵志氣宏放飄然有超世之心亦喜縱横擊劍晚好黄老云

太白諱白唐宗室生蜀之青蓮鄉稱青蓮居士母夢長庚星現因名長庚幼通詩書稍長有逸才州舉有道不就客任城居徂徠天寶初入會稽遇賀知章稱為謫仙薦於玄宗召見論世事玄宗賜食親為調羹命供奉翰林一日賞牡丹於沉香亭作清平調玄宗大喜自後眷顧異常力士以脫靴之恥摘其詩句激怒貴妃帝欲官之妃輒沮止自知不為所容懇求還山玄宗以金賜如是浮游四方至匡廬又從永王璘璘敗當誅因常救郭子儀犯法子儀解官以贖得長流夜郎赦還潯陽後坐事下獄宗若思釋其囚辟為參謀辭職去依當塗令李陽冰心悅謝家山將終焉代宗召為左拾遺已卒

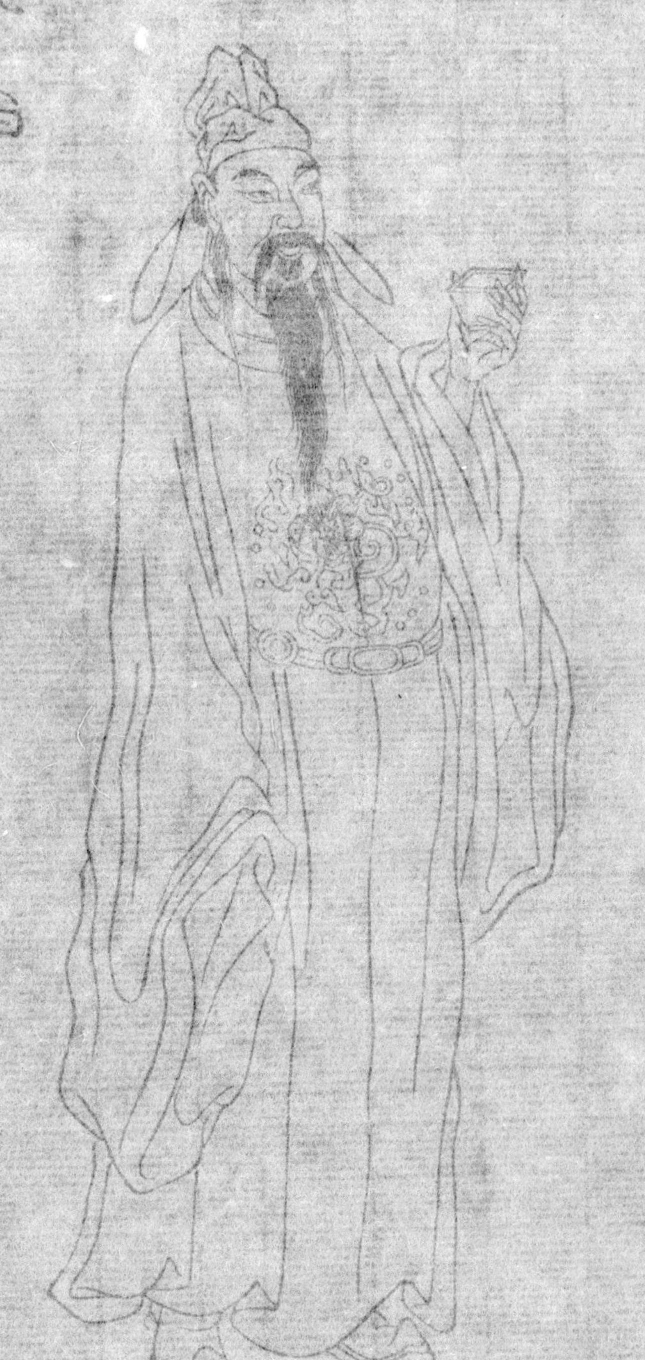

杜工部

元稹論云山東人李白亦以文奇取稱時人謂之李杜予觀其壯浪縱恣擺去拘束模寫物象及樂府歌詩誠亦差肩於子美矣至若鋪陳終始排比聲韻大或千言次猶數百詞氣豪邁而風調清屬對律切而脫棄凡近則李尚不能歷其藩翰況堂奧乎自後屬文者以稹論為是甫有文集六十卷

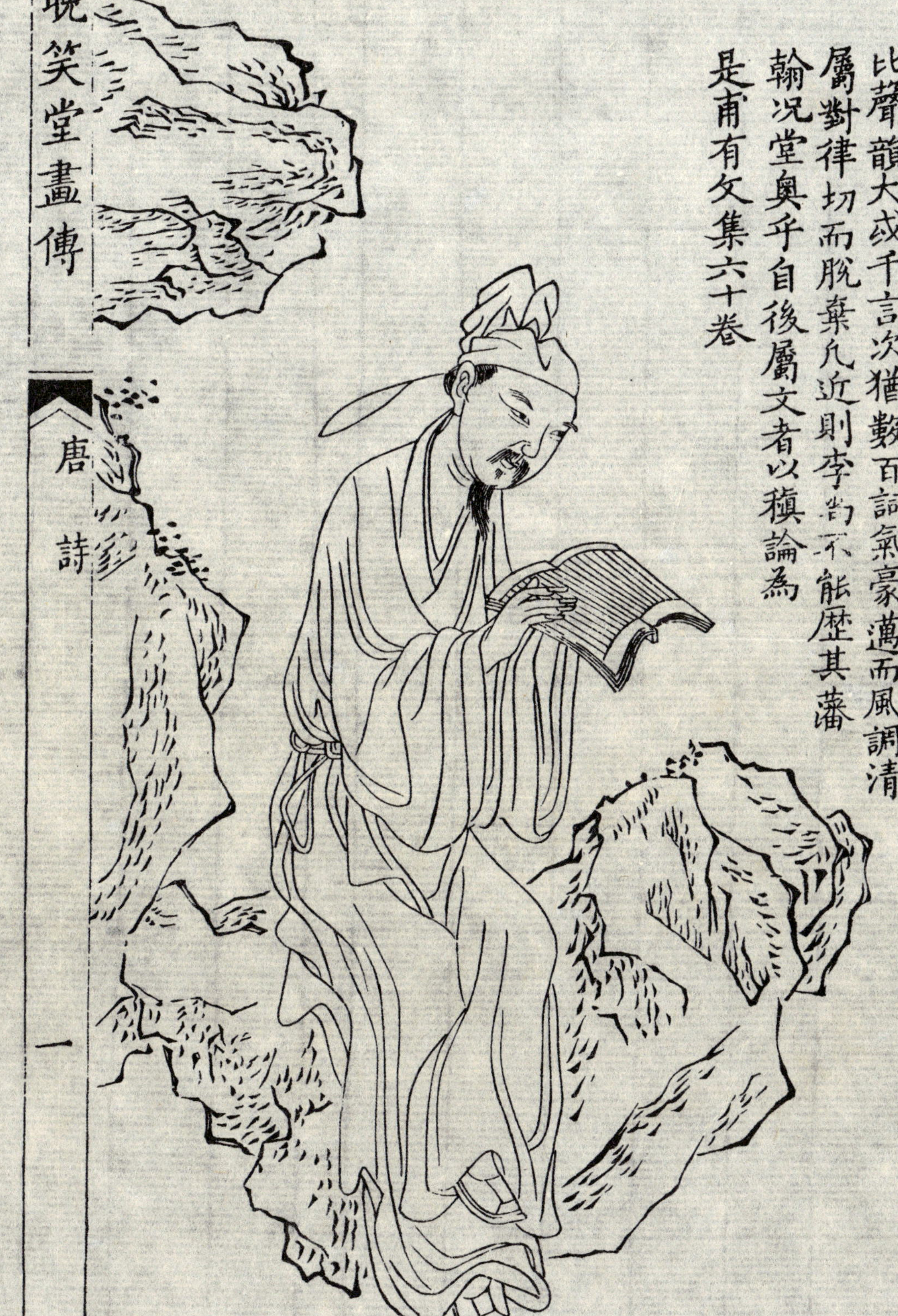

字子美襄陽人舉進士不第因遊長安玄宗朝奏賦三篇帝奇之使待制集賢院數上賦誦高自稱道肅宗立拜右拾遺坐房琯事出為華州司功屬饑亂棄官客秦州負薪採橡栗自給流落劍南依嚴武為參謀於成都浣花里結廬枕江縱酒嘯咏往來夔梓間大曆中客耒陽一夕大醉而卒年五十九

劉長卿

文房有集十卷高仲武論其詩體雖不新奇甚能鍊飾又謂其足以發揮風雅至謂其思銳才窄識者不以為然元裕之曰學詩家有白首不能道長卿一句者

文房名長卿河間人登開元進士與嚴維秦系皆有詩名常相贈荅權德輿每言長卿自以為五言長城二人以偏師攻之雖老益壯至德中為監察御史檢校祠部員外郎歷轉運判官知淮西鄂岳轉運留後鄂岳觀察使吳仲儒誣奏貶潘州南巴尉會有為辯之者除睦州司馬終隨州刺史卒

劉長卿

文房名長卿河間人登開元二十一年進士有詩名
常相過從權德輿稱長卿自以為五言長城二人以偏
師[illegible]之雖[illegible][illegible][illegible]為中為監察御史檢校祠部員外郎
轉運使判官知淮西鄂岳轉運留後鄂岳觀察使吳仲孺
誣奏貶潘州南巴尉會有為辨之者量移睦州司馬終隨州
刺史卒

自謂其[illegible]與十家詩者人以為[illegible][illegible][illegible][illegible]公曰唐詩家有白首[illegible][illegible][illegible][illegible]一句者
大年有集十卷高仲武論其詩體雖不新奇[illegible][illegible][illegible][illegible]其[illegible][illegible][illegible][illegible]風雅

劉禹錫

夢得素善詩晚節尤精嘗與元微之韋楚老在白樂天第各賦金陵懷古詩獨先成樂天覽之曰四人探驪龍子先獲珠所餘鱗爪何用耶于是罷唱樂天與之酬復煩多因集其詩以時無在其右者其鋒森然少敢當推為詩豪獎許其警句如雲裏高山頭白早海中仙果子生遲沉舟側畔千帆過病樹前頭萬木春以為在處應有神物護持

劉禹錫字夢得彭城人登貞元進士宏辭二科精于古文多才麗名重一時辟淮南杜佑掌書記曲蒙禮異從入朝為監察御史轉屯田員外郎判度支監鐵案兼崇陵判官後以王叔文黨斥連州刺史在道貶朗州司馬久之召還作玄都觀詩語涉譏忿當路不喜復出為播州刺史裴度以其母老請稍內遷憲宗初不之聽終不欲傷其親易連州又徙夔州後由和刺史入為主客郎中復作遊玄都觀詩詆切相近聞者益薄之令分司東都裴度薦授禮部郎集賢殿直學士度罷復刺蘇州以政最賜金紫徙汝同二州再遷賓客分司會昌時加檢校禮部尚書卒年七十二贈户部尚書

李長吉

長吉將死時忽見一緋衣人駕赤虯持一版書若太古篆或霹靂石文者云當召長吉長吉了不能讀欻下榻叩頭言阿㜷老且病賀不願去阿㜷長吉學語時呼母云緋衣人笑曰帝城白玉樓立召君為記天上差樂不苦也長吉獨泣邊人盡見之長吉氣絶常所居窗中敎敎有煙氣聞行車嘒管之聲其母急止人哭待之如炊五斗黍許時長吉竟死

李賀字長吉隴西人系出唐鄭王後細瘦通眉長指爪苦吟疾書七歲能辭章韓退之皇甫持正過其家長吉賦高軒過援筆輒就如素搆二人大驚自是有名所與游者王參元與楊敬之權璩崔植為密每日出與諸公游未甞得題然後為詩如他人思量牽合以及程限為意恒從小奚奴騎距驢背一古破錦囊遇有所得即書投囊中及暮歸母使婢探囊出之見所書多輒曰是兒要當嘔出心始巳耳上燈與食長吉從婢取書研墨疊紙足成之投他囊中過亦不復省王楊輩時復来探取寫去長吉獨騎往還京洛所至或時有著隨棄之故詩祇餘四卷以父名晋肅不肯舉進士退之為作諱辨卒不就終太常協律郎年二十七

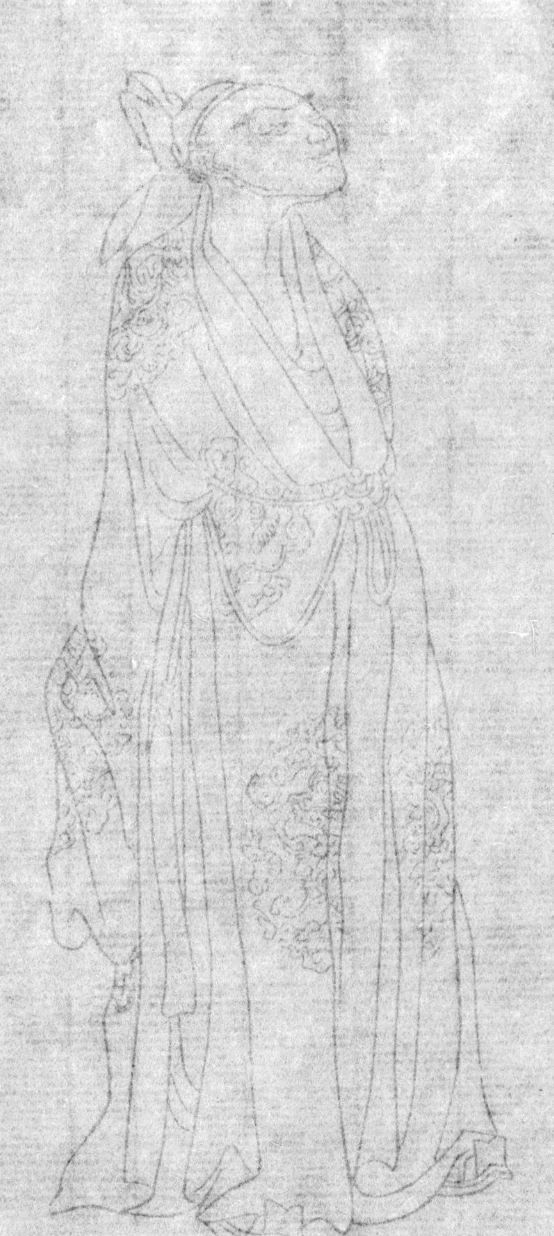

元微之

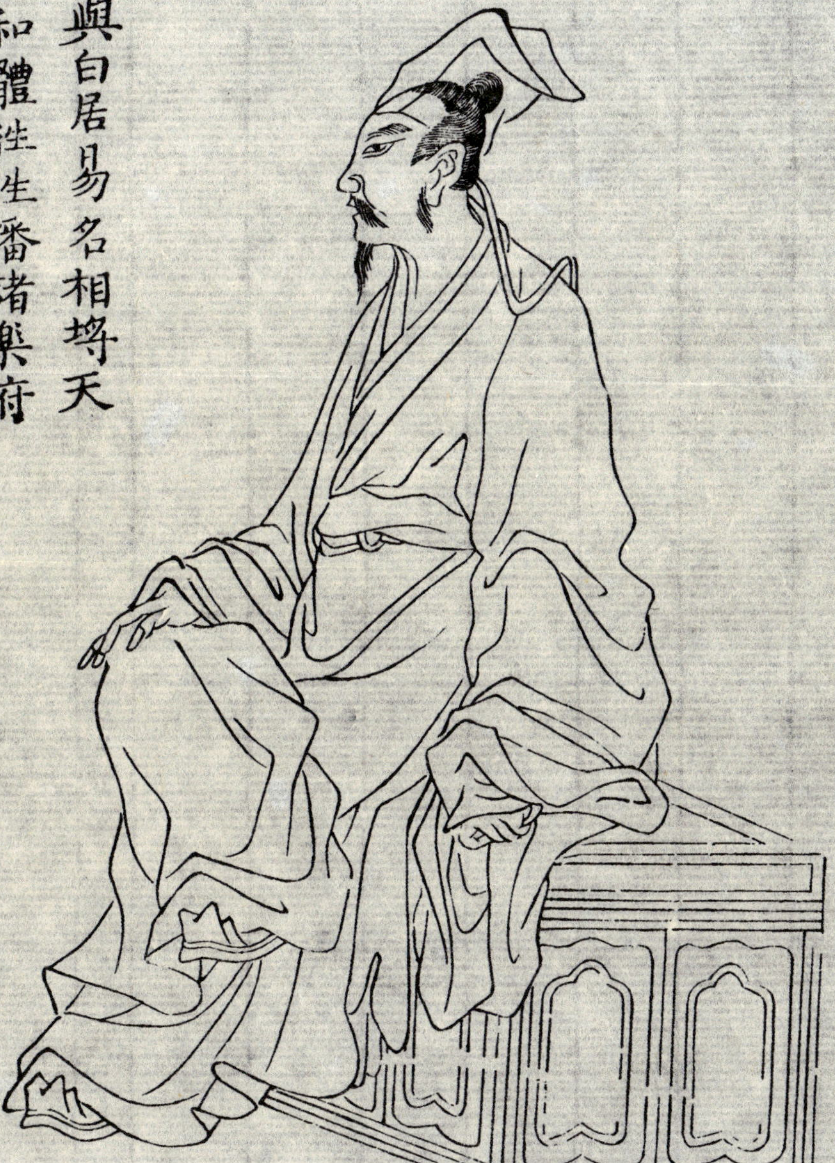

稹尤長於詩與白居易名相埒天下傳諷號元和體往往播諸樂府穆宗在東宮妃嬪近習皆誦之宮中呼元才子

稹字微之河南人九歲工屬文十五擢明經第元和初舉制科對策第一拜左拾遺當路者惡之出為河南尉再貶江陵士曹叅軍元和末召拜膳部員外郎長慶初崔潭峻歸朝出連昌宮詞百餘篇奏御上大悅問今安在即擢祠部郎中知制誥遷中書舍人未幾進同中書門下平章事太和三年為尚書左丞俄拜武昌節度使卒贈尚書右僕射有元氏長慶集一百卷又小集十卷

宗閔德裕二李黨興權勢震赫公終不附惟放意文酒完節自高復當擢用皆幼君偃蹇益不合遂無意功名与弟行簡敏中友愛所居東都履道里疏沼種樹搆石樓香山鑿八節灘號醉吟先生仍自作傳晚慕佛法經月不茹葷與香山僧如滿結香火社每肩輿往来白衣鳩杖自稱香山居士託浮屠生死說若忘形骸者其詩與元稹多唱和時稱元白又與劉禹錫酧咏齊名號劉白

白文公

公諱居易字樂天下邽人幼聰慧絕人襟懷宏放貞元中擢進士甲科補校書郎元和初對制策乙等調盩厔縣尉為集賢校理所著詩皆意存規諷流聞禁中憲宗召入翰林為學士遷左拾遺數建言上多採納歲滿請便養母除京兆户曹參軍丁母喪歸還拜左贊善大夫後貶江州司馬不以遷謫介意立隱舍於廬山徙忠州刺史召還累遷至朝散大夫俄轉中書舍人凡朝廷文字之職無不首居其選然多為排擯不得用其才進言復不見聽乃匄外任除杭州刺史築堤捍湖浚李泌六井久之以左庶子分司東都移蘇州廉静不擾門可羅雀文宗立召為秘書監有所遷拜率以病免再授賓客分司改太子少傅武宗立二年以刑部尚書致仕卒年七十五贈右僕射謚曰文

白文公

牧之為人剛直有奇節自負經濟才畧不為齷齪小謹敢論列大事指陳利病尤切少與李甘李中敏宋刓善其通古今善處成敗甘等不及有樊川集二十卷并注孫武子十三篇其于詩情致豪邁人號小杜以別杜甫楊升菴云律詩至晚唐李義山而下惟杜牧之為㝡宋人評其詩豪而艷宕而麗於律詩中特寓拗峭以矯時弊信然

杜舍人

杜牧字牧之京兆萬年人善屬文為阿房宮賦人所傳誦吳武陵薦于典貢崔郾請以弟一人處之登進士制策二科授大理評事表沈傳師江西團練巡官又為牛僧孺淮南掌書記擢監察御史陞殿中侍御史内供奉追咎長慶以來朝廷措置亡術復失山東所繫天下輕重媿言不當位名為罪言李德裕素奇其才遷左補闕兼史館修撰歷膳部司勳二員外郎又歷黃池睦湖四州刺史入除考功郎中知制誥遷中書舍人卒年五十

李義山

義山能為古文不喜偶對從事令狐楚幕楚能章奏遂以其道授之自是始為今體章奏博學強記下筆不能自休尤善為誄奠之辭與太原溫庭筠南郡段成式齊名時號三十六體文思清麗視庭筠過之

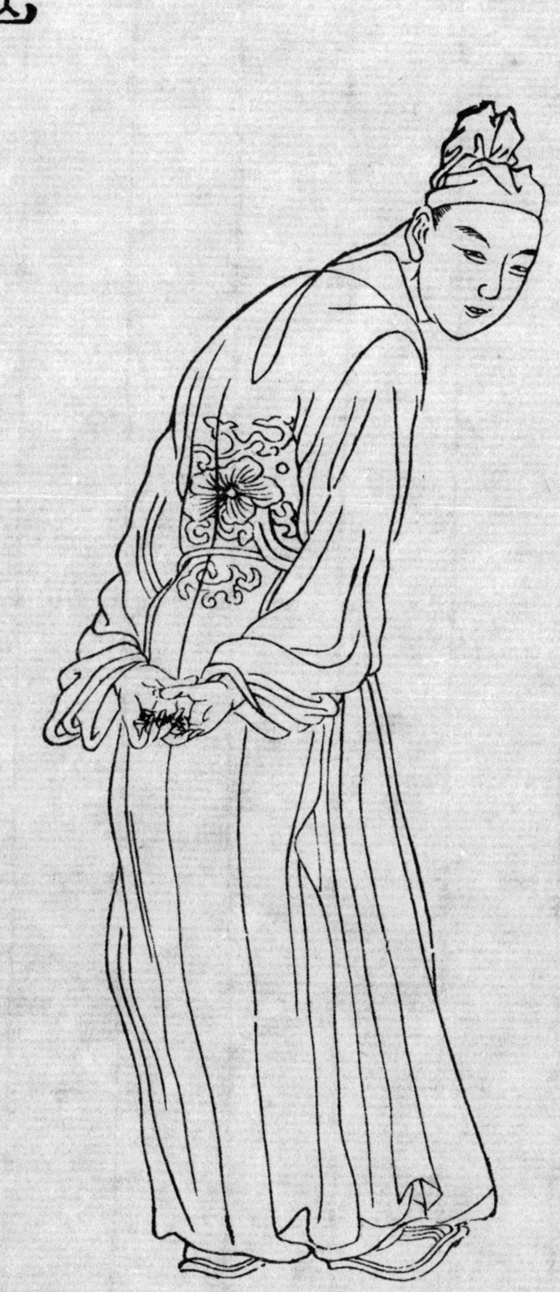

義山名商隱懷州河內人幼能文弱冠以所業干令狐楚楚以其少俊令與諸子遊署為汴州巡官給資裝隨計上都登進士授校書郎調弘農尉又書判拔萃中選王茂元鎮河陽愛其才辟為掌書記擢侍御史王因妻以女來遊京師鄭亞廉察桂州請為判官檢校水部員外郎入朝京兆尹盧弘正奏署掾事曹典箋奏從鎮徐州為掌書記府罷入朝干令狐綯補太學博士柳仲郢鎮東蜀辟為節度判官檢校工部郎中後寮罷還鄭州未幾病卒

温庭筠

飛卿理髮思来即罷櫛綴文詩賦韻格清拔文士稱之善鼓琹吹笛云有絲即弾有孔即吹不必柯亭爨桐也著乾𦠆子其書久不傳

飛卿名岐又名庭筠太原人才思艷麗工於小賦每入試押官韻作賦凡八叉手而八韻成時號温八吟李義山謂曰近得一聯句云遠比趙公三十六年宰輔未得偶句温曰何不云近同郭令二十四考中書宣宗嘗賦詩上句有金步搖未能對遣求進士對之庭筠乃以玉條脫續之宣宗賞焉又藥名有白頭翁温以蒼耳子為對他皆類此應進士累年不第徐商鎮襄陽往依之署為巡官後嬰楊收怒貶為方城尉再遷隋縣尉卒

韓文公

公嘗官潮州刺史潮人廟祀公東坡作碑中云文起八代之衰而道濟天下之溺忠犯人主之怒而勇奪三軍之帥此豈非參天地關盛衰浩然而獨存者乎又曰公之精誠能開衡嶽之雲而不能回憲宗之惑能馴鱷魚之暴而不能弭皇甫鎛李逢吉之謗能信於南海之民廟食百世而不能使其身一日安於朝廷之上蓋公之所能者天也其所不能者人也

公諱愈字退之鄧州南陽人生三歲而孤隨伯兄會貶官嶺表會卒嫂鄭鞠之公自知讀書日記數千百言比長盡能通六經百家學擢進士第仕至吏部侍郎長慶四年卒年五十七贈禮部尚書謚曰文公性明銳不詭隨與人交終始不少變成就後進皆往知名經其指授皆稱韓門弟子凡內外親若交友無後者為嫁遺孤女而恤其家嫂鄭喪為服期以報文章深探本元卓然樹立成一家言其原道原性師說數十篇皆奧衍閎深佐佑六經至他文造端置辭要為不蹈襲前人者

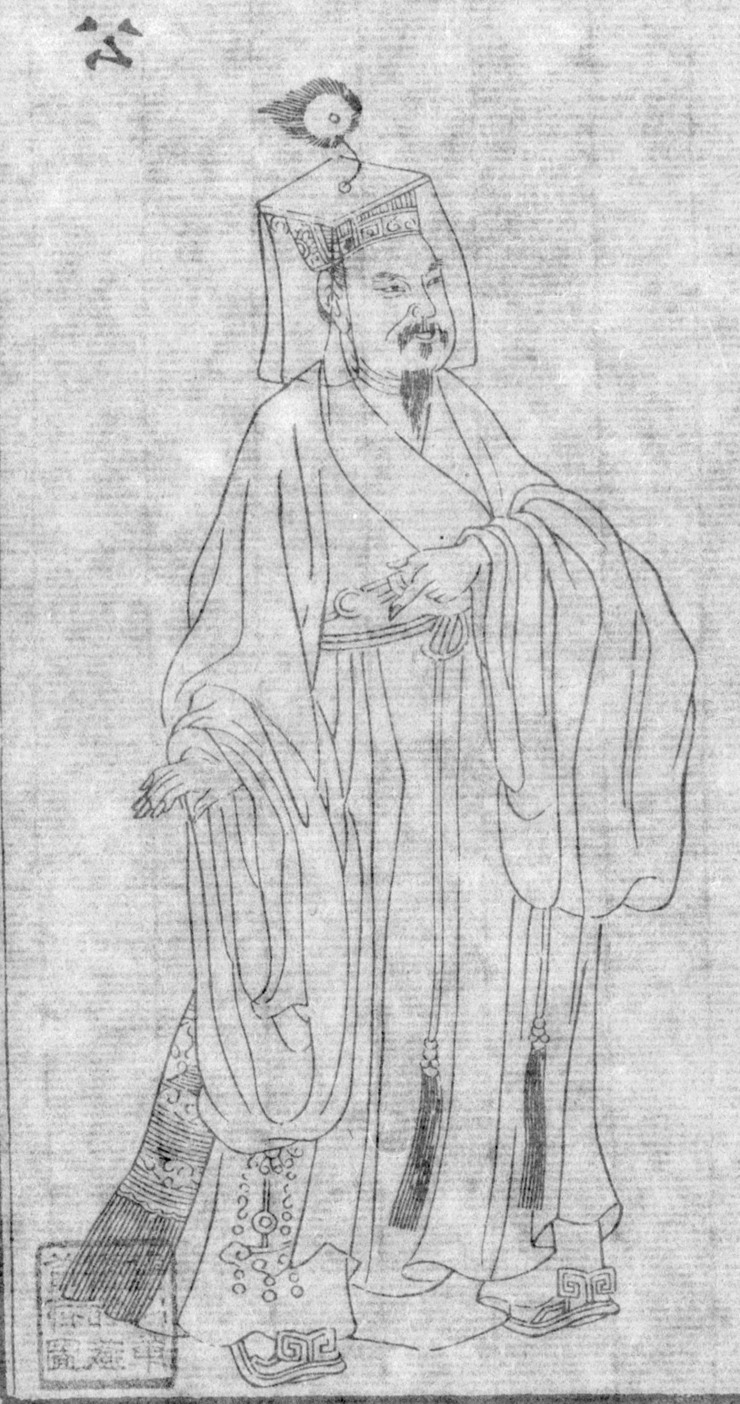

柳二州

韓文公評公文云雄深雅健似司馬子長崔蔡不足多也葬時為銘其墓又稱其儁傑廉悍柳州羅池建廟祀公文公復作碑辭頌其死而為神云

公諱宗元字子厚其先蓋河東人父鎮隱於王屋山後徙吳公少精敏絕倫為文章卓犖精緻一時行輩推仰第進士博學宏詞科授校書郎調藍田尉後為監察御史裏行擢禮部員外郎未幾貶邵州刺史不半道貶永州司馬公既竄斥地又荒癘因自放山澤間其堙厄感欝一寓諸文倣離騷數十篇讀者咸悲惻文思日益深嘗著書一篇曰貞符又作賦自儆曰懲咎徙柳州刺史時劉禹錫得播州公念其親老不忍其窮即具奏欲以柳易播會大臣為禹錫請獲改連州公至柳因其土俗為設教禁州人順賴南方為進士者走數千里從之遊經指授者為文辭皆有法世號柳柳州卒年四十七

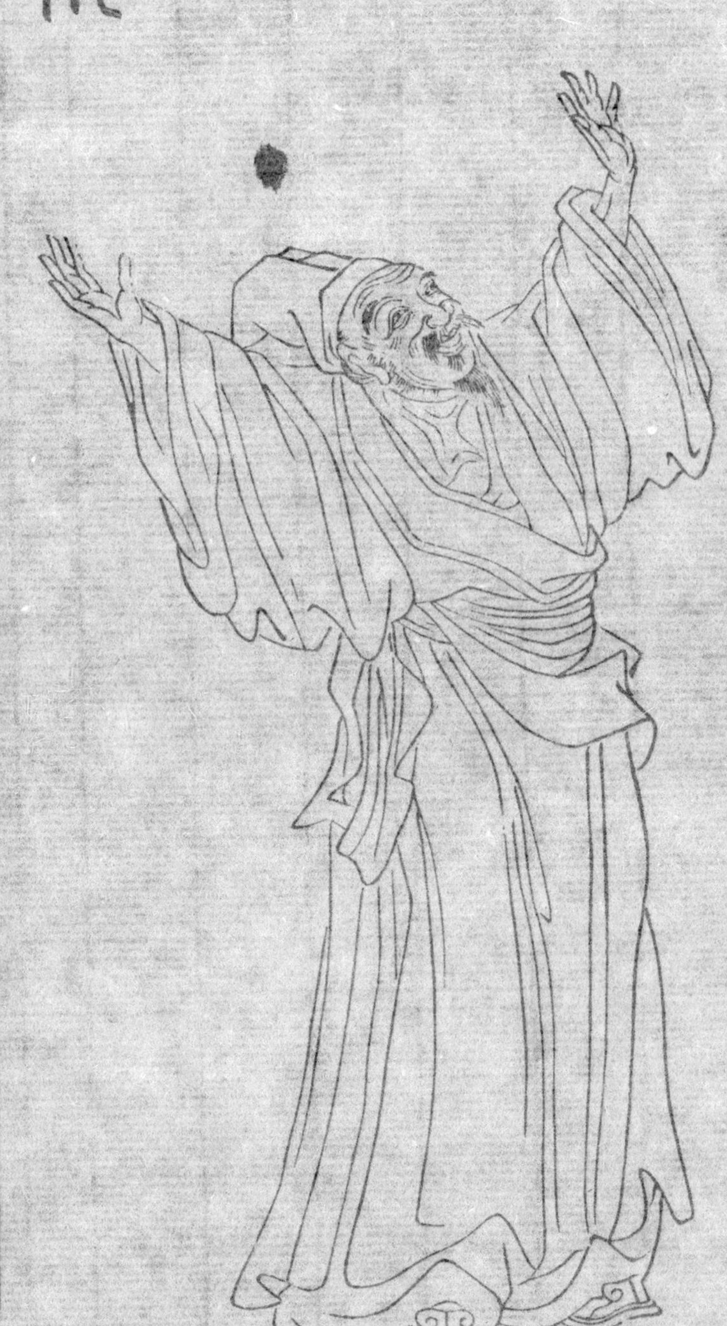

民有父母國有蓍龜斯文有傳學者有師君子有所恃而不恐小人有所畏而不敢為譬如大川喬嶽不見其運動而功利之及於物者蓋不可以數計而周知東坡祭公文中語也坡又序公集云歐陽子論大道似韓愈論事似陸贄記事似司馬遷詩賦似李白此非予言也天下之言也

歐陽文忠公

公諱修字永叔號醉翁又號六一居士廬陵人父觀登進士第為判官卒時公方四歲母鄭氏以荻畫地教之書字稍長從隣里借書或手抄之抄未竟而成誦中甲科仕宦四十年嘗遭困躓既壓復起遂顯於世以觀文殿學士太子少師致仕卒年六十有六贈太子太師謚文忠公為人質直閎廓見義敢為仁宗嘗奬之曰如歐陽修者何處得來英宗面稱之曰修直不避衆怨博極群書好學不倦與尹洙皆為古學方是時學者奉詔盡為古文公文章遂為天下宗匠權知貢舉革新奇黜怪僻務求平淡典要文格變而復正以奬進天下士為已任所譽薦必極力而後已

晚笑堂畫傳

歐陽文忠公

宋 文

三

蘇文公

公常嘆曰知我者惟吾父與歐陽公也歐陽公作公墓誌銘述其語而美公文博辨宏偉又謂為純明篤實君子且及其善與人交急難恤孤之賢

公諱洵字明允眉山人父諱序贈職方員外郎公少不喜學壯不知書父縱而不問或問其故父笑而不答公亦自如也年二十七始發憤為學舉進士及茂才異等皆不中悉焚所為文閉戶益讀書遂通六經百家之說下筆頃刻數千言至和嘉祐間與二子軾轍来京師翰林學士歐陽公上其所著書既出士大夫爭傳之一時學者競效蘇氏為文章以其父子俱知名號老蘇以別之宰相韓公奏於朝召試紫微閣辭不至遂除試秘書省校書郎會太常修纂建隆以來禮書乃以為文安縣主薄使食其祿與項城令姚闢同修禮書為太常因革禮一百卷方奏未報卒年五十有八天子哀之特贈光祿寺丞

蘇文忠公

黃山谷題公像云東坡先生天下士嗟乎惜哉今盈世蠢蠢尚誚短人氣

公諱軾字子瞻自號東坡居士眉山人文安公仲子幼頴悟有識比冠博通經史好賈誼陸贄莊子書嘉祐二年試禮部歐陽文忠賞第二復以春秋對義居第一殿試中乙科後以書見文忠文忠語梅聖俞曰吾當避此人出一頭地五年調福昌主簿復對制策入三等除大理評事簽書鳳翔府判官後官屢擢屢貶卒於常州年六十六公與弟欒城先生為文章俱師其父既而得之於天自謂作文如行雲流水初無定質但常行於所當行止於所不可不止雖嬉笑怒罵之詞皆可書而誦之其體渾涵光芒雄視百代自為舉子至出入侍從必以愛君子為本忠規讜論挺挺大節群臣無出其右但為小人忌惡擠排不使安於朝廷之上身後猶編名元祐黨高宗即位贈資政殿學士又崇贈太師謚文忠

蘇文定公

東坡先生跋公老子解後謂不意老年見此奇特於栖賢堂記則謂讀之便如在堂中見水石陰森草木膠葛至書超然堂賦後則以為子由之文詞理精確有不及吾而體氣高妙吾所不及此文精確高妙殆兩得之記其所和八月四日詩則謂子由詩過吾遠甚

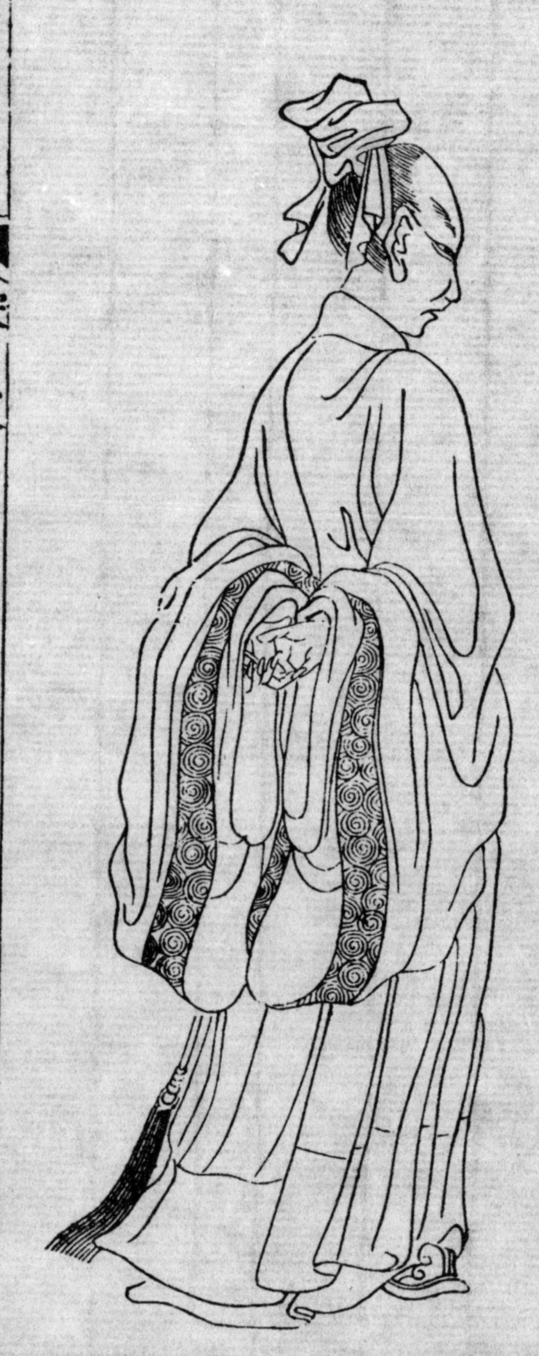

公諱轍字子由明允公季子年十九與兄東坡先生同登進士科又同策制舉仕至門下侍郎屢遭貶謫後復大中大夫致仕築室於許號潁濱遺老自作傳萬餘言不復與人相見終日默坐如是者幾十年卒年七十四追復端明殿學士淳熙中謚文定公性沉靜簡潔為文汪洋澹泊似其為人高處殆與兄軋其使契丹也館客能誦其茯苓賦及其父兄文云

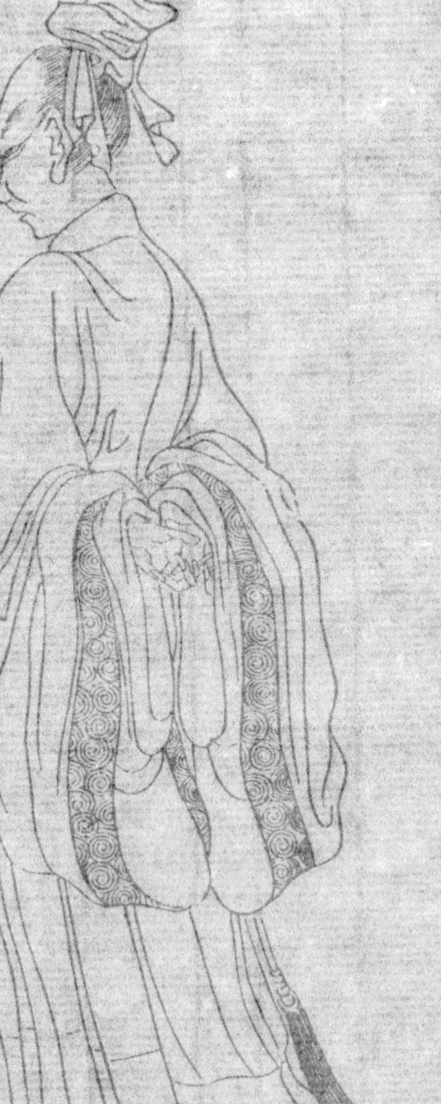

曾文定

公性孝友父亡奉繼母益至撫四弟九妹於委廢單弱中宦學婚嫁一出其力為文章上下馳騁本原六經斟酌於司馬遷韓愈時鮮能過也

公諱鞏字子固南豐人幼篤敏能文名聞四方登嘉祐二年進士第集賢校理為實錄檢討官出通判越州知齊襄洪三州皆有異政加直龍圖閣知福州福無職田歲鬻園蔬自入常三四十萬鞏謂太守不宜與民爭利罷之徙明亳滄三州過闕神宗召見勞問甚寵留判三班院疏議經費以節用為理財之要帝甚善帝欲合累朝國史為一書加鞏史館修撰專典不以大臣監總既而不克成會官制行拜中書舍人尋掌延安郡王牋奏君母憂卒年六十五

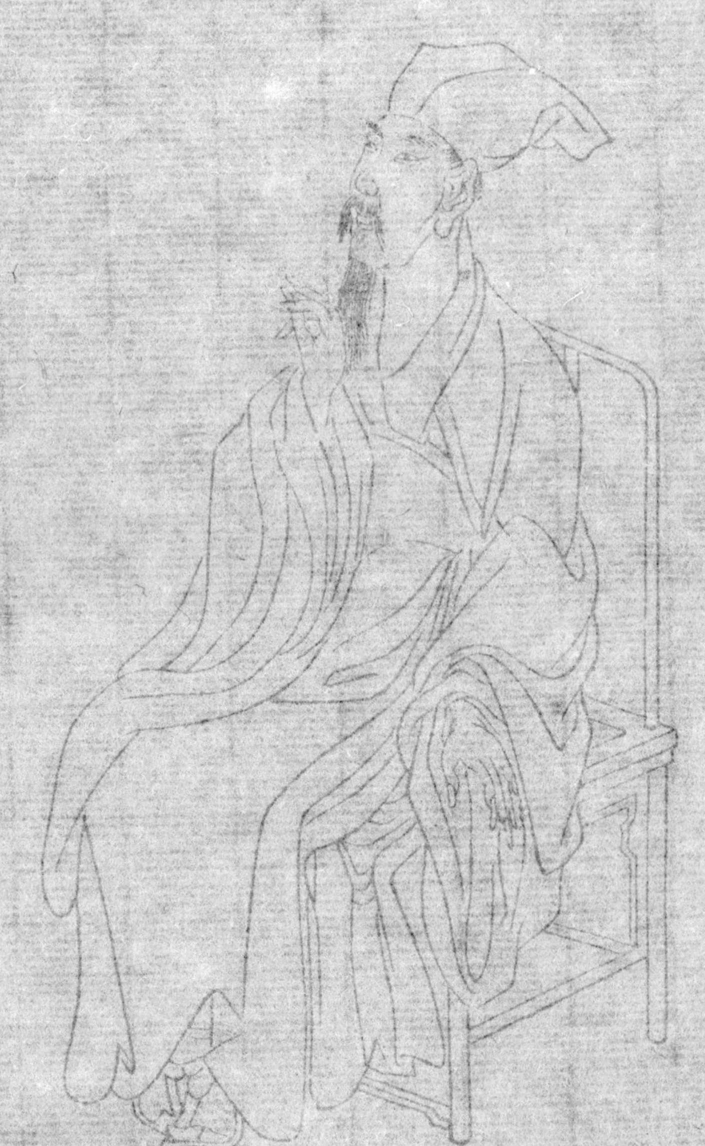

王文公

公作字説時用意良苦置石蓮百許枚几案上咀嚼以運其思遇盡未及益即嚙其指至流血不覺世傳公初生家人見有貛入其產室有頃公生故小字貛郎又傳公在金陵有僧清曉于鐘山道上見有童子數人持幡幢羽蓋之僧問之曰往迎王相公幡上書云中含法性外習塵氛到寺未久聞公薨

公諱安石字介甫臨川人少好讀書一過目終身不忘屬文動筆如飛見者皆服其精妙友生曾鞏携以示歐陽文忠文忠為延譽登進士上第仕至宰相初封舒國公後改封荆加司空卒年六十八贈太傅謚曰文

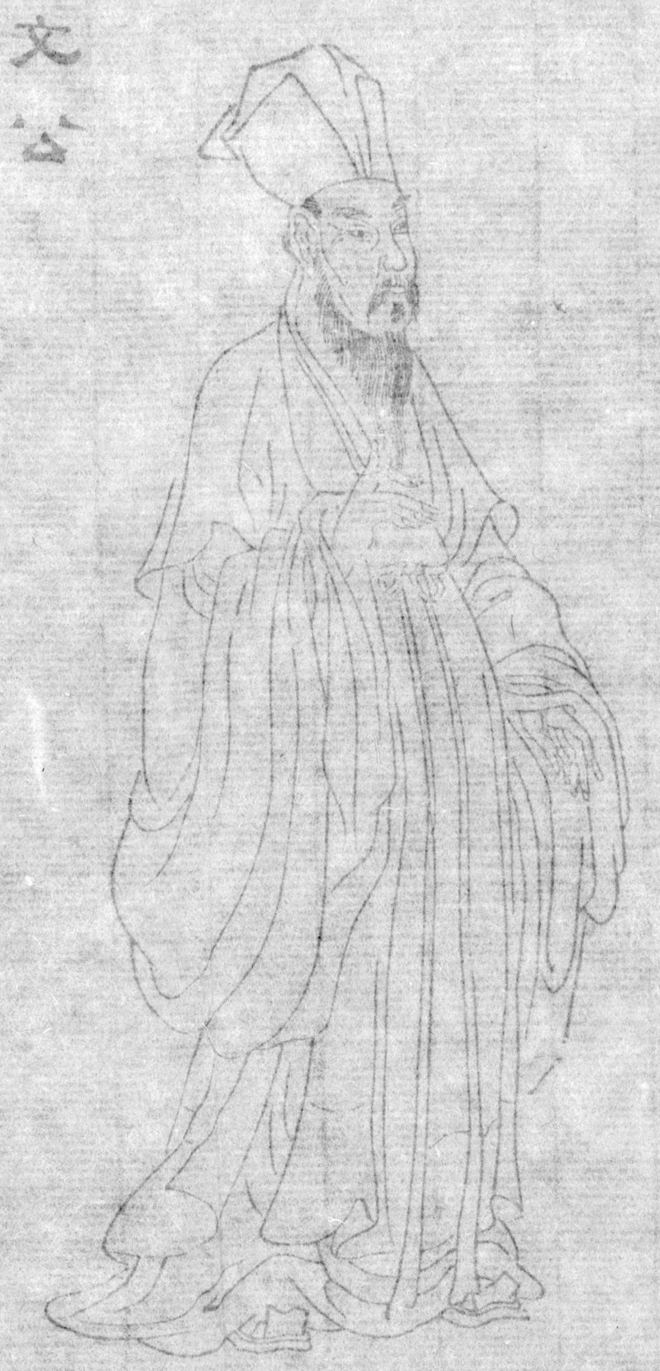

周元公

朱子贊先生像云道喪千載聖遠言湮不有先覺孰開我人書不盡言圖不盡意風月無邊庭草交翠

公諱惇頤字茂叔家世道州營道縣濂溪之上公博學力行洞見道妙遇事剛决為政精密嚴恕務盡道理雅有高趣尤樂佳山水遇適意處或徜徉終日廬山之麓有溪焉發源扵蓮華峰下潔清紺寒下合扵湓江先生濯纓而樂之因寓以濂溪之號卒後諡元黃山谷常稱其人品甚高胷中洒落如光風霽月好讀書雅意林壑初不為人窘束短扵取名而惠扵求志薄於徼福而厚於得民菲於奉身而燕及惸嫠陋於希世而尚友千古

程純公

朱子贊先生像云揚休山立玉色金聲元氣之會渾然天成瑞日祥雲和風甘雨龍德正中厥施斯普

先生諱顥字伯淳十歲能為詩賦十二三居庠序如老成人與弟頤同受學於周元公元公窗前草不除人問之云與自家意思一般而先生書窗前有草茂覆砌或勸之芟亦曰不可欲常見造物生意又置盆池畜小魚數尾時時觀之或問其故曰觀萬物自得意上蔡謝氏言先生坐如泥塑人接人則渾是一團和氣華陽范氏亦言先生貌肅而氣和志定而言厲望之可畏即之可親叩之者無窮從容以應之真學者之師也元豐八年卒年五十四文潞公題其墓曰明道

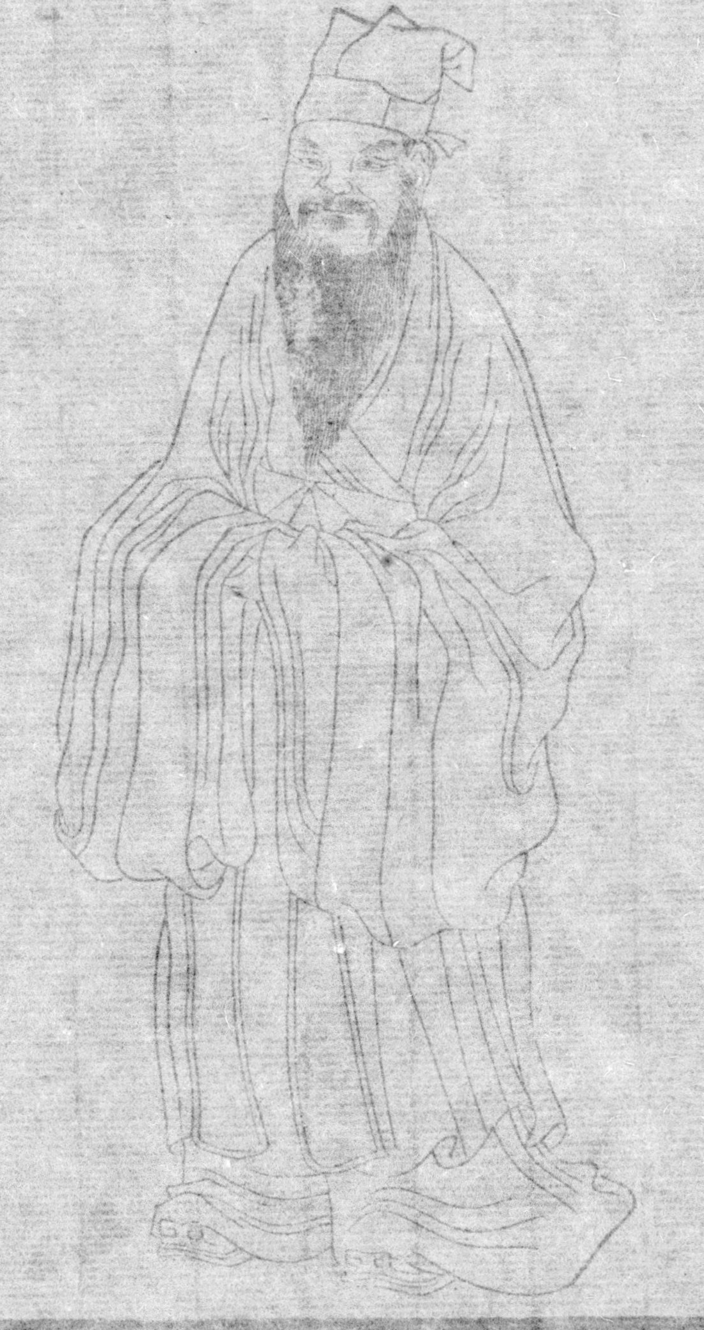

程正公

朱子贊先生像云規圓矩方繩直準平允矣君子展也大成布帛之文菽粟之味知德者希孰識其貴

先生諱頤字正叔與其兄顥俱以德名顯於時先生遊大學時胡翼之方主教導常以顏子所好何學論試諸生得先生所試大驚即延見處以學職呂希哲與先生鄰齋首以師禮事焉既而四方之士從遊者日益衆司馬光呂公著嘗言於朝曰程頤之為人言必忠信動遵禮義寔儒者之高蹈聖世之逸民又曰頤道德純備學問淵博有經天緯地之才有制禮作樂之具實天民之先覺聖代之真儒也大觀元年卒年七十五號伊川先生

張橫渠

朱子贊先生像曰早悅孫吳晚逃佛老勇撤皋比一變至道精思力踐妙契疾書訂頑之訓示我廣居

先生諱載字子厚郿人世稱橫渠先生藍田呂氏曰先生氣質剛毅德盛貌嚴然與人居久而日親其治家接物大要正已以感人人未之信反躬自治不以語人雖有未喻安行而無悔故識與不識聞風而畏聞人之善喜見顔色荅問學者雖多不倦有不能者未嘗不開其端有可語者必丁寧以誨之惟恐其成就之晚

邵堯夫

朱子賛先生像曰天挺人豪英邁盖世駕風鞭霆歷覽無際手探月窟足躡天根閒中今古醉裏乾坤

先生諱雍字堯夫范陽人後遊洛定居呂氏家塾記云先生居洛四十年安貧樂道自云未常皺眉所居寢息處為安樂窩自號安樂先生又為甕牖讀書燕居其下旦則焚香獨坐晡時飲酒三四甌微醺便止不使至醉也又云學者来從之問経義精深浩博應對不窮思致幽遠妙極道數閒与相知之深者開口論天下事雖久存心世務者不能及也熙寧十年卒年六十有七歲元祐中賜謚康節

邵堯夫

晚笑堂畫傳　宋　五

楊龜山

先生造養深遠燭理甚明混迹同塵知之者鮮行年八十志氣未衰精力少年殆不能及

先生諱時字中立將樂人學者稱龜山先生呂氏本中曰龜山天資仁厚寛大能容物又不見其涯涘不為崖異絶俗之行以求世俗名譽與人交終始如一性至孝幼喪母哀毀如成人事繼母尤謹熙寧中既舉進士得官聞河南二程先生之道即往從學既歸閒居累年沉浸經書推廣師説窮探力索務極其趣涵蓄廣大而不敢輕自肆也本中常聞於先輩長者以為明道先生温然純粹終身無疾言遽色先生實似之

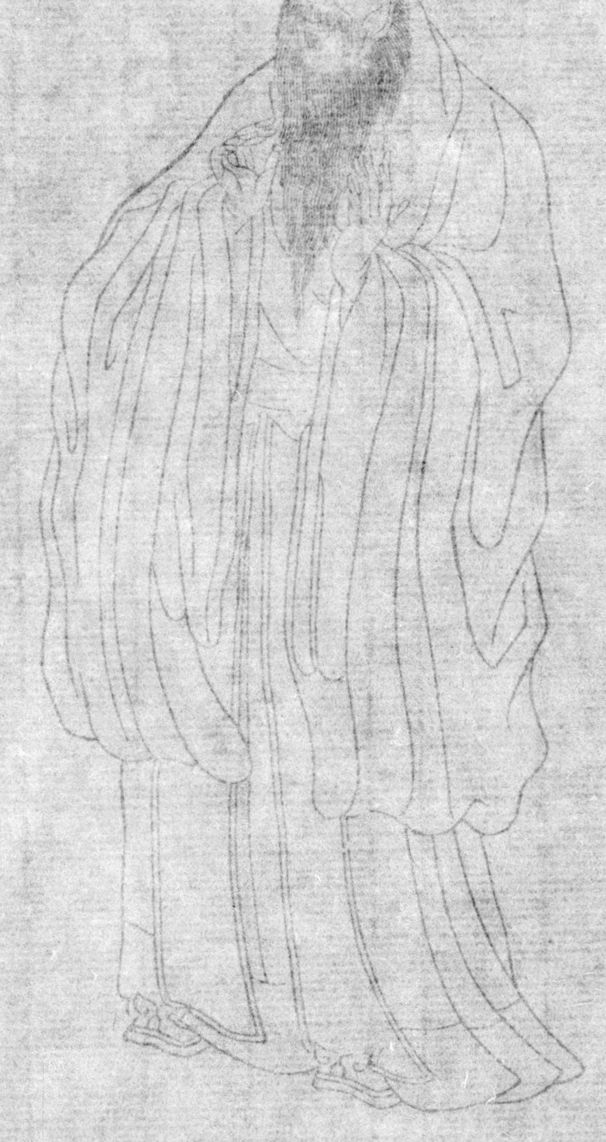

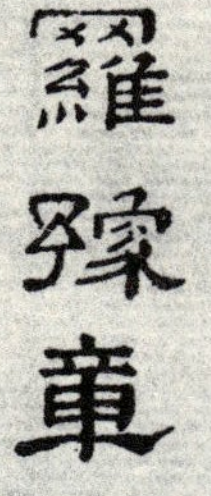

羅豫章

朱子曰龜山先生倡道東南士之游其門者甚衆然語其潛思力行任重詣極如羅公蓋一人而已

先生諱從彥字仲素沙縣人學者稱豫章先生延平李愿中嘗從受學焉愿中曰羅先生少從審律先生吳國華學後見龜山乃知舊學之差三日驚汗浹背曰幾枉過了一生於是謹守龜山之學數年後方心廣體胖又云先生性明而修行全而潔充之以廣大體之以仁恕精深微妙多極其至漢唐諸儒無近似者至於不言而飲人以和與人並立而使人化如春風發物蓋亦莫知其所以然也凡讀聖賢之書粗有見識者孰不願得授經門下以質所疑

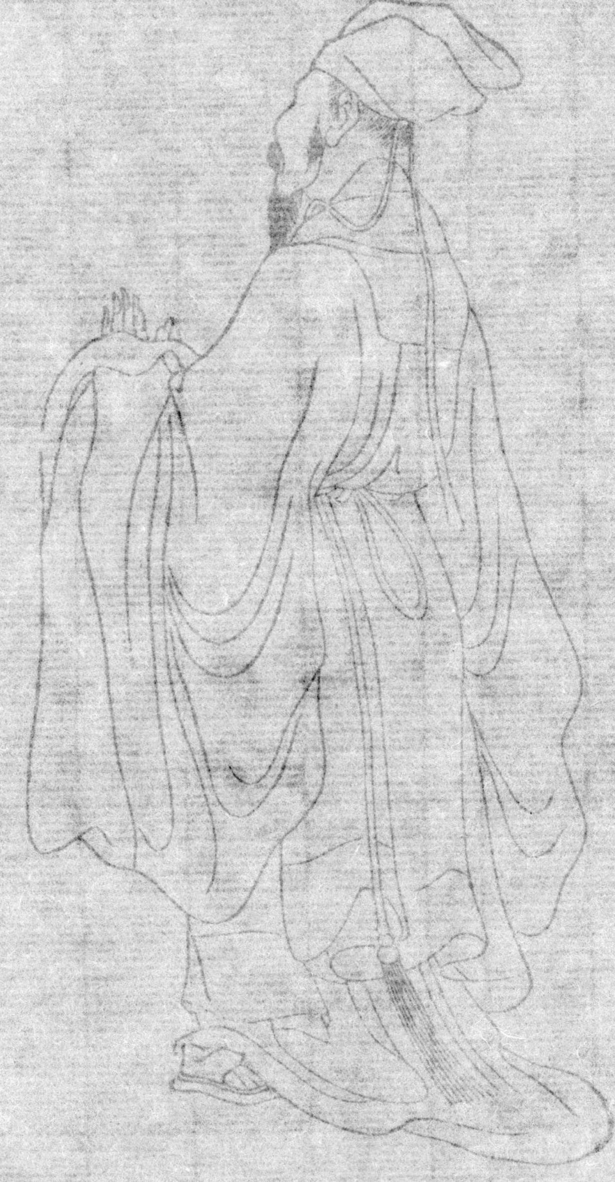

李延平

先生喜黃太史稱濂溪胸中灑落如光風霽月為善形容有道者氣象常諷誦之而頋謂學者曰存此於胸中庶幾遇事廓然而義少進矣時沙縣鄧迪夫亦謂先生氷壺秋月瑩徹無瑕云

先生諱侗字愿中號延平生先劍浦人朱子師事之於祭先生文中述其從遊十年誘掖諄至又嘗曰先生少遊鄉校有聲已而聞郡人羅仲素得河洛之學於龜山之門遂往學焉羅公清介絕俗里人鮮克知之見先生從遊受業或頗非笑先生若不聞從之累年受春秋中庸語孟之說從容潛玩有得於心盡得其所傳之奧羅公少然可亟稱許焉於是退而屏居山里結茅水竹之間謝絕世故餘四十年簞瓢陋巷怡然自適中間郡將學宮聞其名而招致之或遣子弟從遊受學州郡士人有以矜式焉

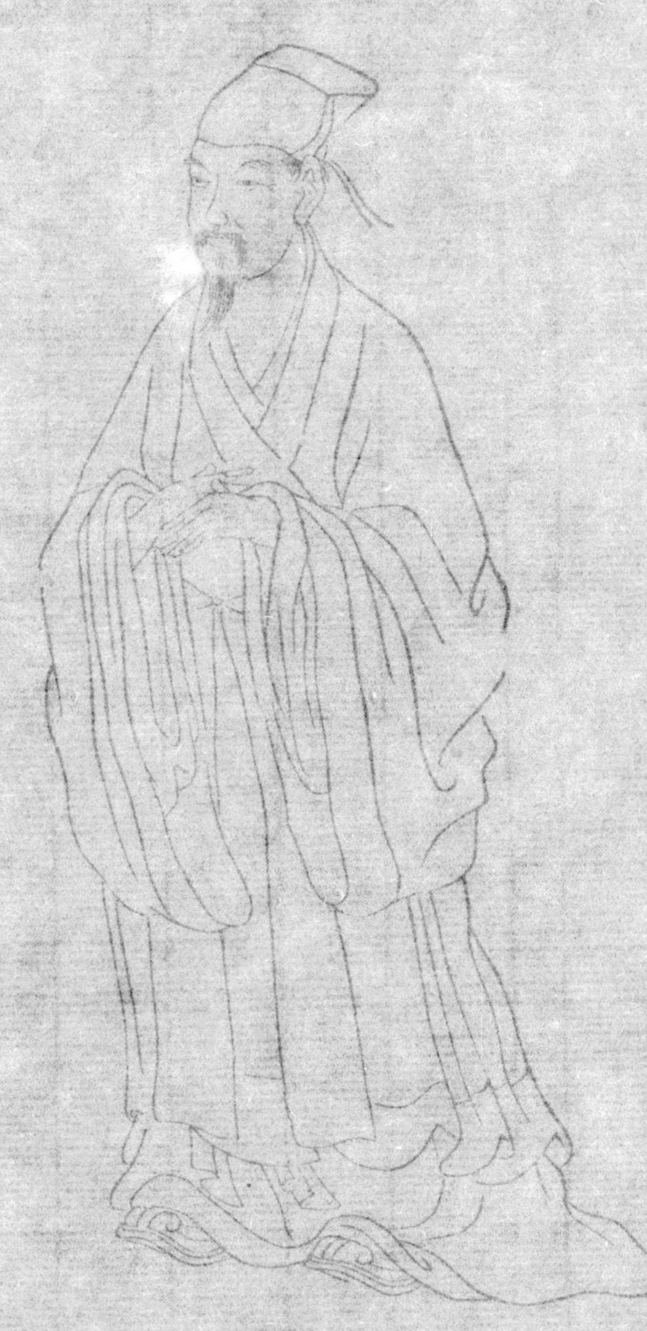

朱文公

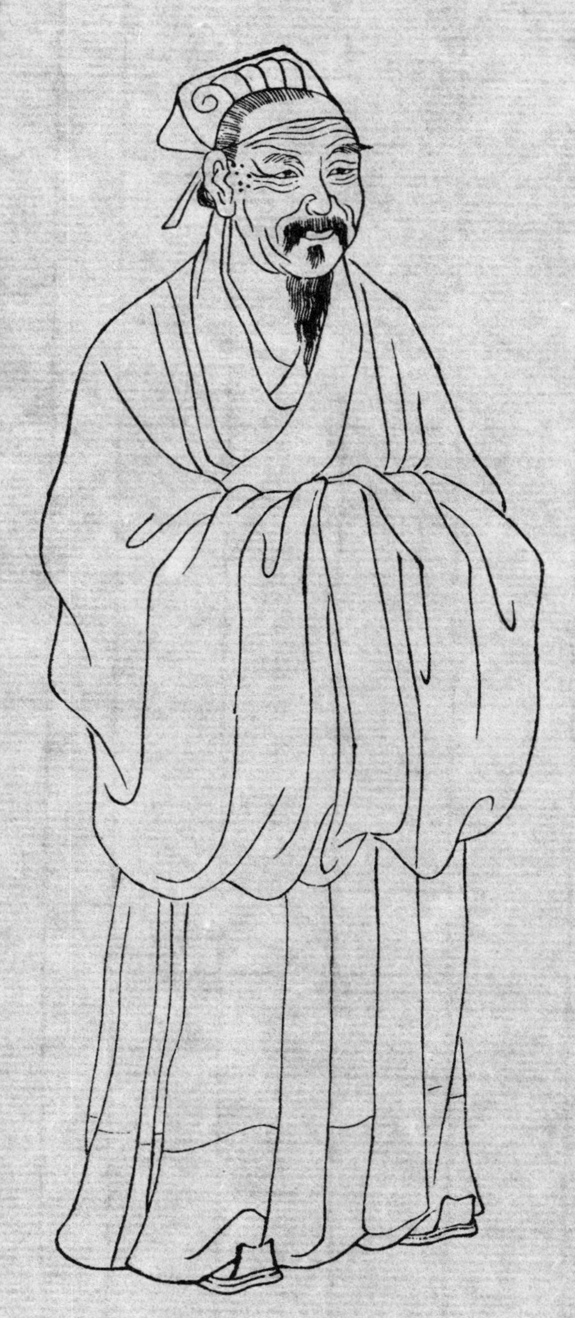

先生自題畫像曰從容乎禮法之場沉潛乎仁義之府是予盖將有意焉而力莫能與也佩先師之格言奉前烈之遺矩惟闇然而日修或庶幾乎斯語

公諱熹字元晦後更仲晦婺源人父韋齋先生為尤溪尉卒公年十四奉遺命依劉公彥修寓居崇安扁讀書堂曰紫陽書堂後徙建陽號雲谷老人其草堂曰晦庵自號晦翁晚居考亭精舍號滄洲病叟最後號遯翁公始學於胡原仲劉致中劉彥冲三先生後從李愿中先生遊學修而道立德成而行尊自筮仕以至屬纊五十年間歷仕四朝任於外者僅九考立於朝者四十日道雖難行然紹道統立人極為萬世宗師不以用舍為加損其門人黃文肅先生詳道之北溪陳氏亦謂孔孟周程之道至先生而益明所謂主盟斯世獨惟先生一人而已魏鶴山謂其功不在孟子下理宗贈太師封徽國公謚曰文

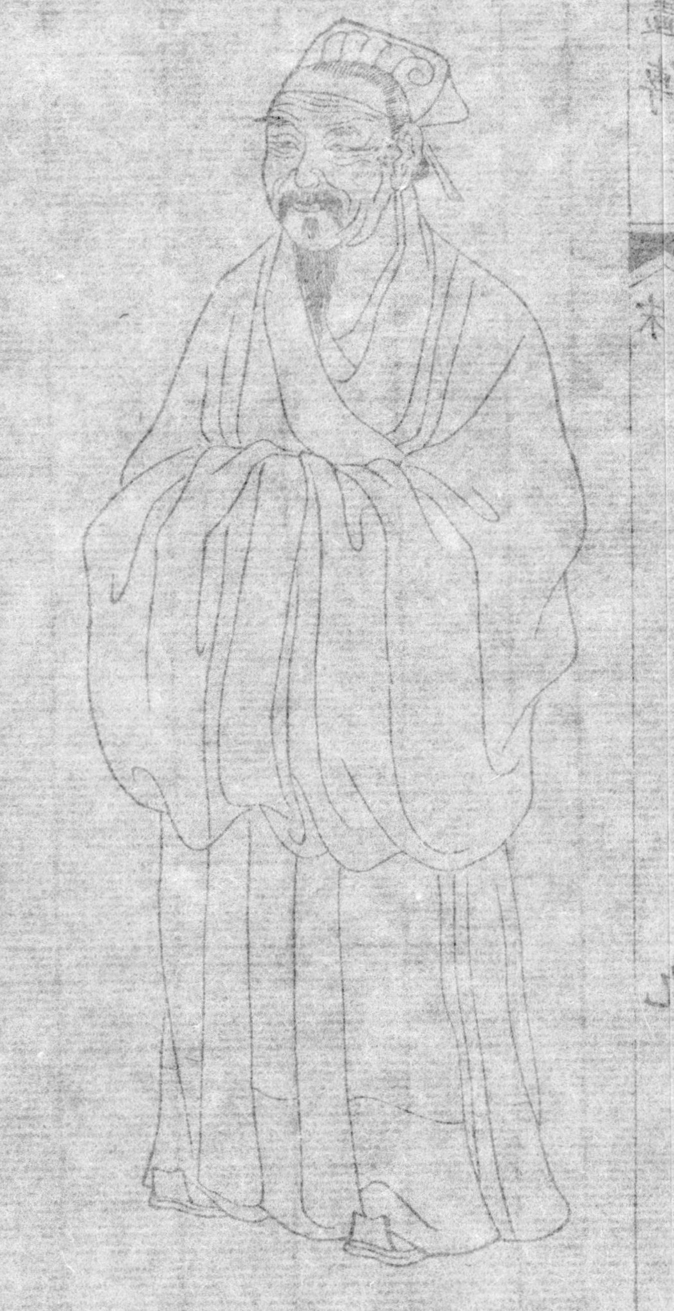

張宣公

朱子贊先生像曰擴仁義之端至于可以彌六合謹義利之判至于可以析秋毫拳拳乎其致主之切汲汲乎其幹父之勞仡仡乎其任道之勇卓卓乎其立心之高知之者識其春風沂水之樂不知者以為湖海一世之豪彼其揚休山立之姿既與其不可傳者死矣觀於此者尚有以卜其見伊呂而失蕭曹也耶

先生諱栻字敬夫綿竹人父魏國忠獻公俊先生生有異質穎悟夙成忠獻愛之自其幼學而所以教者莫非忠孝仁義之實既長命往從胡五峯先生之門問程氏學先生一見知其大器即以所聞報之曰聖門有人吾道幸矣公之教人必使之先有以察乎義利之間而後明理居敬以造其極其剖析開明傾倒幼至必竭兩端而後已官至秘閣修撰號南軒先生

張宣公

朱子贊先生像曰擴仁義之端至於可以彌六合謹義利之辨至於可以析秋毫乎其致主之切汲汲乎其干人之勞仡仡乎其任道之勇卓卓乎其立心之高知者識其春風沂水之樂不知者以為湖海一世之豪[illegible]

先生諱栻字敬夫綿竹人以魏國忠獻公浚子先生生有異質穎悟夙成忠獻愛之自其幼學所以教者莫非忠孝仁義之實既長命往從胡五峯先生之門問程氏學先生一見知其大器即以所聞教之曰聖門有人吾道幸矣公以教人[illegible]以先生[illegible]明理居敬以造其極其[illegible]閩修[illegible]南軒先生

陸文安

袁蒙齋嘗作先生贊云即心是道勿助勿忘愛親敬長易簡平常煌煌昭揭神用無方再拜象山萬古芬芳

公諱九淵字子靜金谿人嘗講學於貴溪象山學者尊為象山先生生三四歲問其父天地何所窮際父笑而不答遂深思至忘寢食及總角舉止異常兒見者敬之後登乾道八年進士第仕終知荆門軍公見理昭徹加以涵養踐履之功故能自得於心有餘於身即其成己用以成物四方才俊之士風動雲集至無館舍以容公槃蘉端嚴對之者非心邪念自然消沮言論英邁聽之者如指迷途朱子守南康公嘗訪之朱子與至白鹿洞公為講君子小人喻義利章聞者至有泣下朱子以為切中學者隱微深錮之病施是學於有政則視民如子視僚屬如朋友誠心所孚真有不言之教嘉定中賜謚文安時丁端祖覆博士謚議以為若公者在吾儒中真千百人一人

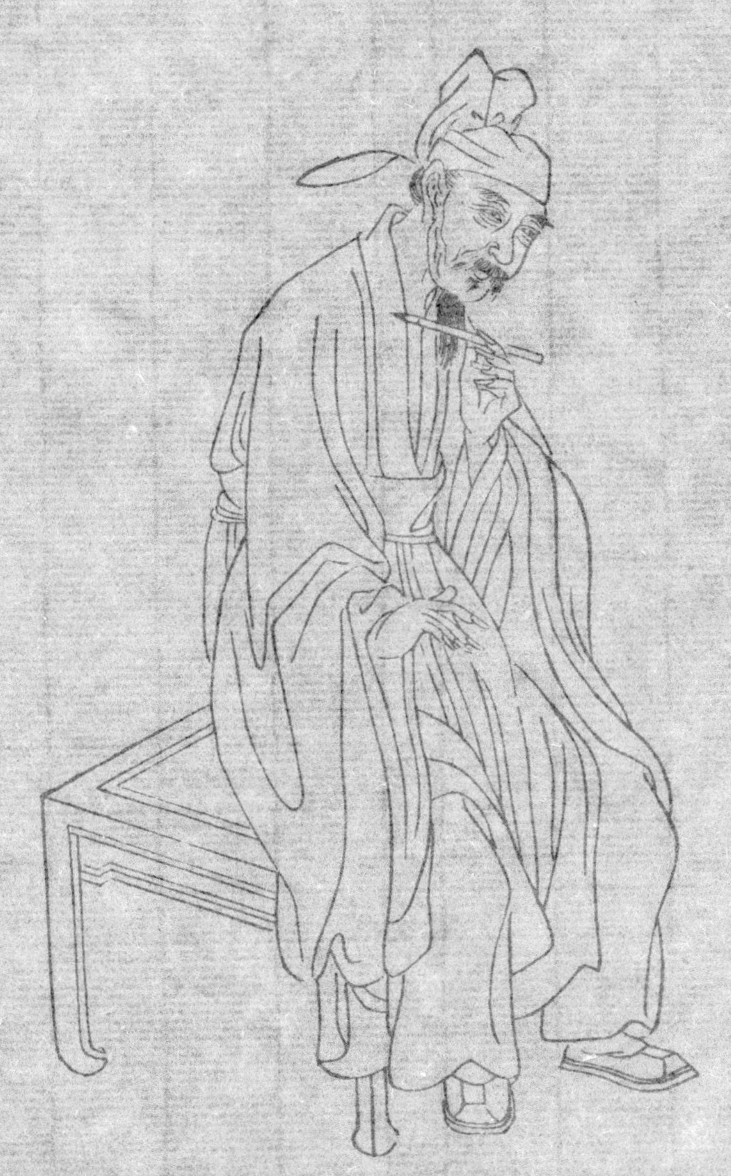

真西山

公越山新居成名其齋曰學易春帖云坐看吳越兩山色默契羲文千古心

公諱德秀字景元後更希元號西山浦城人本姓慎避孝宗諱改姓真中宏詞科累官參政吳郡李氏曰子朱子沉潛乎性命而發越乎詞章先生心得其傳汪洋乎翰墨沉浸乎仁義所入雖不同其見於道一也子朱子之道不盡行於時故私淑諸其徒先生之道方大顯於世蓋將公利澤於民物所遺雖不同其衣被萬世亦一也虞邵菴謂先生大學衍義之書本諸聖賢之學以明帝王之治據已往之跡以待方來之事慮周乎天下憂及乎後世君人之軌範蓋莫備于斯焉卒謚文忠

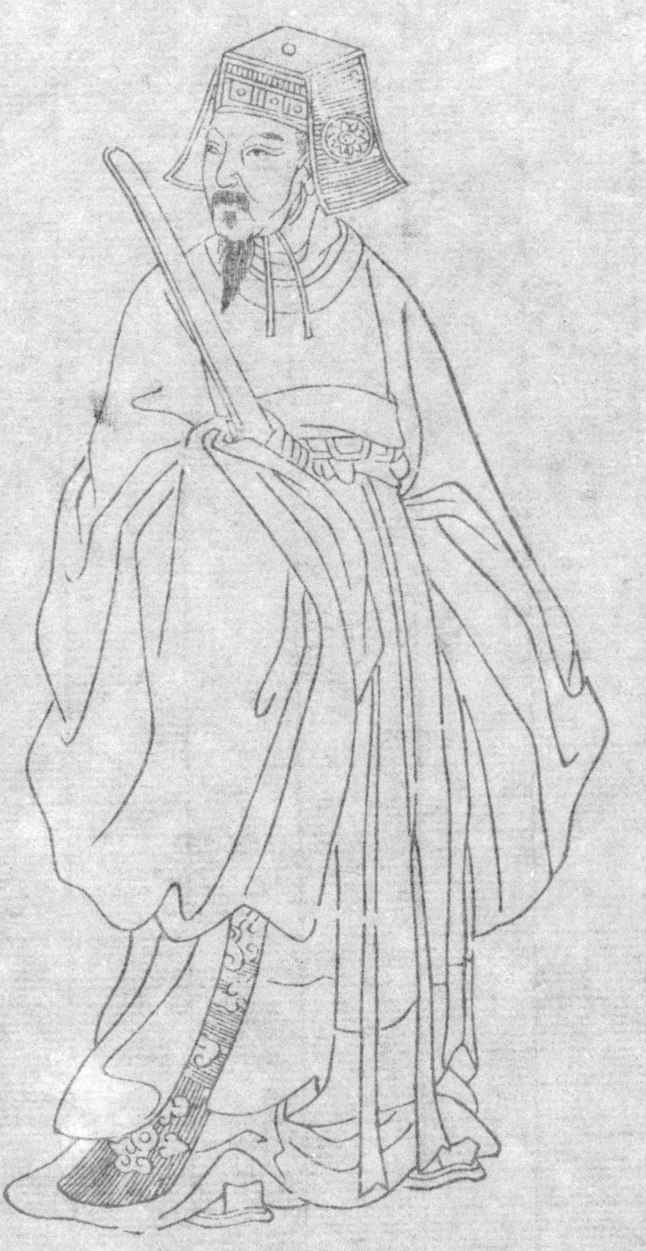